JN115672

# ニッポンの大そうじ

## シンガポールからの改革提案

藤沢秀一
著

東方通信社

# はじめに

ニッポンは素晴らしい国だと思う。四季の美しさ、2000年を超える悠久の文化や伝統、山や海、清流がもたらす自然の恵み、「おもてなし」に代表されるきめ細やかな心配り、勤勉で真面目な国民性、澄んだ空気、ゴミの少ないきれいな街――。海外で長く暮らしているからか、こうしたいくつもの美点が際立って感じられる。

ところが、同時に海外からニッポンを見ていると、今のニッポンの異常さが目につき、「ニッポンの常識は世界の非常識」だと感じることも多い。ニッポンのニュースを見ると親が子を殺し、子が親を殺し、政治家は不正や失言を繰り返している。メディアも自らの報道という使命を忘れ、ニュースを海外からそのまま輸入して平然としている。失われた30年、何がニッポンをこのようにしてしまったのか?

幸い、我々は民主主義の国に生きている。ニッポンは平気で人権を踏みにじったり、国民の意思と関係なく他国に戦争を仕掛けたり、気に食わない国民を銃殺刑にしたりするような国ではない。

だから私たち国民は、今のニッポンを変えることができる。また、その環境が約束されている。今一度ニッポンの現状をよく振り返り、おかしな部分をきれいに掃除して、新生ニッポンを目指さないと、我々の子孫の未来は決して明るくならない。そう、私たちは子や孫にもうこれ以上、「負の遺産」を残してはいけないのである。

「茹でガエル」のたとえがある。池のカエルを取ってきて池の水と一緒にそのまま火にかけると、カエルは熱さを感じながらも外に出るのが怖くて「そのうち戻るだろう、もう少し、もう少し」とそのままじっと我慢し、ついには茹であがってしまうのである。

ニッポンがこの「茹でガエル」にならないことを切に願うばかりだ。本著は海外から見たニッポン、特に今、私が在住しているシンガポールやこれまでいた他国から見たニッポンの特異性を紹介し、その処方せんについてささやかな提言を行っていきたい。かなり偏見に満ちた傲慢な意見もあると思うが、全ては大好きな生まれ育った国、ニッポンを良くしたいという気持ちの表れとご容赦いただければ幸いです。

さあ新しいニッポンの船出、ジャーニーを共に見ていきましょう！

**2023年11月　シンガポールの暑い空より**

目次

# 第1部

# プレリュード

## ＧＤＰ世界2位からの凋落

先日、ショッキングなことがあった。

週末のひととき、私はいつもの美容院でカットを終え、プロのシャンプーで爽やかな気分のまま、カラフルな西洋文化と東洋文化の交わるオートラムパークのちょっと洒落たイタリアンバーで一人、ビールを飲みながらラグーソースのパスタを楽しんでいた。

なにやら後ろの席が騒がしい。シンガポーリアンらしき若い綺麗な女性3人とヨーロピアンとおぼしき若い白人男性3人が、昼間からアルコールを飲んで盛り上がっていた。まあ週末だし、自分もビールを飲んでいるので構わないが、ジャパニーズがどうのこうのと言っている。フォークを置いて耳をすまして聞いてみると、どうやら彼女たちのニッポン人同級生か同僚（学生か社会人かわからない）が言っていることや挙動がおかしいとからかっているようで、皆で大笑いしている。

「違うんだよ、挙動がおかしいのではなくて、おそらくシンガポールに来たばかりで英語がまだよくわからないし話せないんだよ。そしてあなたの後ろでシンガポールの日差しで勝手に日焼けして、サングラスかけてビール飲んでる長身の男は実はニッポン人なのだよ」と言ってやりたかったが、わざわざ訂正するのも面倒だし、話題にのぼっているのが本当に挙動のおかしい人かもしれないので、そのままバーをあとにした。せっかくの週末に少し苦い思いが残った。まだシンガポールに来て間もないだろう彼女（？）の健闘を祈るしかない。海外に出たばかりで苦労しているニッポン人はそう珍しくはない。私も最初はそうだった。

16年以上滞在していた欧米と違い、シンガポールに来てから人種差別を含めてほとんど嫌な目にあったことがなかったので少しショックを受けたが、総じてシンガポーリアン、特にある程度の歳を取った人はニッポン人への尊敬と憧れを持っていると思う。もちろん第二次世界大戦時、日本占領下での嫌な思い出は多々あるが。

かつて「ジャパン・アズ・ナンバーワン」と言われ、アメリカを抜くかも知れない勢いを持っていた経済大国で、クールなアニメや音楽などを発信し、謙虚な気持ちを大切にし、豊かな四季のある自然と長い歴史と文化を持つニッポンへの憧れを持つシンガポーリアンも多いだろう。とくに北海道が大人気だ。ただ、今の若い世代の人はバブル以降の凋落したニッポンしか知らないのも事実である。

若いシンガポーリアンはアニメや日本食は大好きだろうが、30年近くも1人当たりの

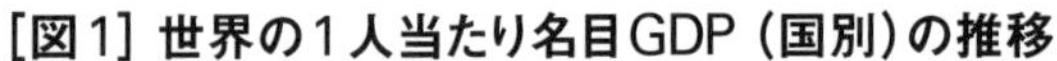
[図1] 世界の1人当たり名目GDP（国別）の推移　出典：IMF

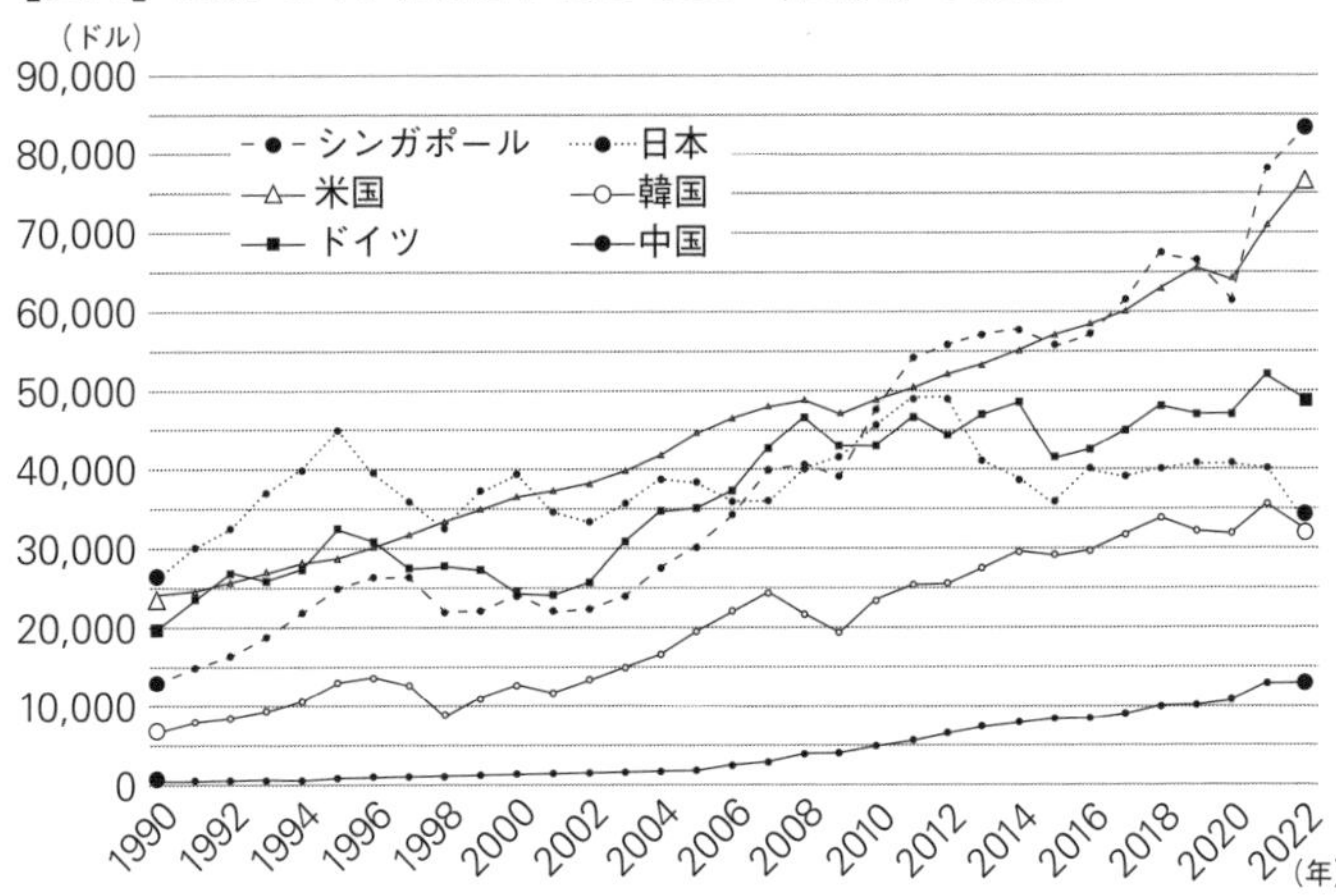


GDP（国内総生産）が変わらない、年収も上がらないニッポンに対して憧憬の念を持つことは難しい。この30年近くでアメリカ人の年収は1・5倍になり、おとなりの韓国は倍増している。ニッポン人は横ばいだ。2000年、1人当たりのGDPでニッポンは経済協力開発機構（OECD）加盟38カ国中2位だったが、2020年には19位にまで落ち込み、今後は円安の影響でさらなる下落が続くだろう。シンガポールは富裕層の割合が大きいこともあるが、IMFの世界経済見通しで世界5位（日本は34位）となっている。シンガポール国立大学は国際評価ランキングで東大や京大のはるか上にランキングされている。

ニッポンの政治家たちはことあるごとに「ニッポンはアジア唯一のG7メンバーだ」と言うが、ある海外大手金融会社は、ニッポンのGDPは2050年にインド、インドネシアなどに抜かれて世界6位となり、2075年にはナイジェリア、パキスタン、エジプト、メキシコにも抜かれ12位まで転落すると予測している。今のままなら残念ながらその通りになるだろう。今、1人当たりの名目GDPはイタリアにも抜かれG7のなかで最低である。なぜ大国ニッポンはここまで凋落してしまったのだろうか？この差は一体なんだろうか？

## リーダーの劣化と身勝手な犯罪の急増

ニッポンでは政治家や役人、公人に対する企業からの不正な献金事件が後を絶たない。スポーツの夢の祭典でもオリンピック委員会の理事が企業からの贈収賄で世間を騒がしている。また、2019年に参院選広島選挙区で起きた大規模買収事件も記憶に新しい。秋田の鶏卵業者による元農水相への贈賄事件や衆議院議員によるIR汚職事件などもいまだにニッポンが先進国であるはずなのに「政治とカネ」のケジメを付けられない情けない二流、三流国であることを示している。自民党の派閥による裏金作りなどはもっての外だ。

役人の天下りも相変わらずだ。先般も国交省のＯＢが一般関連企業に再就職して、自分から副社長にしろと言って国家権力を振り回していた。なぜこういった「負の連鎖」が止まらないのだろうか？不法な選挙でまともな政治家が選ばれるわけもなく、官僚が天下りして一般企業に入っても世界的な競争力が上がるとは思えない。むしろ癒着や縁故採用が増えるだけではないのか？また、政治家が選挙に勝つために金を求め、その政治家を金銭で利用する輩が増え、結果まともな政治家が出てこないで30年以上、国力を落とし続けているのではないだろうか？無論、全ての政治家ではないが。

選挙では与党でないとなかなか当選しないという。知り合いが区議会選挙に出たが、残念ながら落選した。党の公認なしで挑戦したが組織票には敵わなかったようだ。ただ、党推薦の場合は当然、お金もかかる。そうなると推薦してもらった↓義理を感じる↓お返しを考える、といった具合にどうしても持ちつ持たれつの関係が生まれるのだろう。いっそのこと党の助成金等もやめて全て個人で選挙に出馬すればどうか？そうなれば政策の良し悪しで判断されてまともな政治家が増えるのではないだろうか？

今のニッポンの与党では、国のトップである総理大臣は派閥の長老に決められた持ち回り人事である。また、その下の大臣ポストも「ご苦労さん」的な派閥人事である。総じてお年を召した方が多い。これでは急速に変化する世界の情勢やWEB3・0のような新しいテクノロジー、AI活用、国家安全保障、地球温暖化対策等の環境問題に迅速に対応することができない。このままではニッポンの失われた30年が40年になるだろう。どんどん国が貧しくなり、若者は夢をなくしてしまう。事実、外国語に堪能な優秀な人材の流出がすでに始まっているし、海外から老人を襲う〝遠隔操作型〟の詐欺が横行し、わけもなく人を殺す事件も発生している。国が貧しくなれば人の心も荒み、凶悪な犯罪が増えてくる。こんな社会で子どもを産み、育てたくないと思う女性が増えるのも致し方ないだろう。悲しい現実だが。

また、政教分離は憲法で「いかなる宗教団体も、国から特権を受け、又は政治上の権力を行使してはならない」と規定されている。私は政治学者ではないので解説は控えるが、旧統一教会の事案のように多くの政治家が宗教団体と何らかの関わりを持ち、選挙の大票田として活用していたと考えるのは自然であろう。高額な国会議員報酬と特権を守りたいがゆえに「選挙にさえ通れば良い」という見境のなさに脱力感を覚える国民は私だけではないはずだ。

本来、政治家とは国民や子どもたちの尊敬を集め、国の将来のために働くいわゆる「ヒーロー」でなければならない。その政治家がカネにまみれ、不正を行い、逮捕される状況を見て、国民や子どもたちは何を思うだろうか？　国民を率いて行くべきリーダーが私利私欲、もしくは党利党略を優先して国民の生活や安全を脅かし続けるならば、我々は今こそニッポンの「大そうじ」を考えなければならない。

ニッポンのリーダーたちの劣化と、人のことを考えない身勝手で異常ともいえる犯罪がニッポンで増えつつある事実は、決して無縁なものではない。シンガポールからニッポンのネットニュースをほぼ毎日見ているが、孫が祖母を殺害する、母親が子を暑い車内に放置してパチンコに夢中で殺してしまう、全く見ず知らずの人間を自分勝手な理由でナイフを使って無差別に刺す、車内にガソリンを撒いて火をつける、と信じられない事件が次々と起こっている。なぜこんな悲惨な出来事を生む国になってしまったのだろうか？

海外では「貧しいから」人のものを奪い、殺害まで至るようなケースはあるが、理由がよくわからず自分勝手な都合だけで人を巻き込む、このような犯罪を起こす例は少ない。アメリカでも無差別銃犯罪は起こっているが、ニッポンのケースには特有の社会的背景があるように思うのは私だけだろうか？

## どうなる？ニッポンの子どもたち

道徳やモラルが崩壊し、自分勝手な生き方だけが拡大し、社会的弱者を救えない悲しい社会になりつつあるのではないだろうか？子どもにとって信じるに足る大人が減る一方で、親たちはこのような社会で子どもが生き残るために「我が子だけは良い学校へ行かせたい」と小さい頃から塾に通わせ、せっせと受験テクニックを覚えさせ、創造性や協調性を学ぶべき貴重な成長期間を奪っている。

こうした社会でストレスを溜めた子どもたちが「いじめ」という、弱者をさらに追い詰める陰湿な慣習を生み出してしまう。「夢」や「理想」に向かって伸び伸びと育っていくための環境を、大人や今のニッポンの社会が奪っているのではないだろうか？また、受験文化が塾や有名私立中学・高校の学費といった教育費の増大を生み、国民の家庭の生活費を圧迫し、ニッポンの少子化に大きく影響していることは否めない。金を使って子どもの主体性や想像力を削り取っていると感じるのは私だけではないだろう。子どもたちはもっと自由に伸び伸び育つべきだ、「夢」に向かって。

決して受験制度そのものを否定するわけではないが、今の詰め込み教育や受験テクニックが社会人になり、国際社会に出た時にどれだけ役に立つのだろうか？　むしろユニコーン企業を次々と生み出すような柔軟な発想力、大局を見て果敢な施策を打つ構想力や判断力、海外の人と仲良く楽しく仕事をするためのコミュニケーション能力、インターナショナルなセンスを養う方がよほど本人の将来のためになるし、ニッポンのこれからの発展に役立つだろう。

以前、報道番組のインタビューで中国人留学生が「ニッポンの大学生の英語力ヤバいよ！」と言っていた。私もこれまでの仕事で、ＴＯＥＩＣがほぼ満点に近いのにまともに外国人と会話できない人たちを見てきた。知識は豊富でヒアリングもできるのだが、どのようにリアクションすれば相手に意図や考えが伝わるのかがわからない。超高学歴でいくら知的でも経験値がないとスムーズなコミュニケーションはできないし、ましてや外国人を率いてビジネスをリードして行くことは難しくなる。昨今の日本企業の国際的凋落を招いたひとつの重要なピースであろう。今の受験勉強に膨大な時間と費用を費やしているニッポン人は今一度、教育を見直す必要がある。必死で受験を勝ち抜いてきた子どもたちが国際社会で通用しないのでは、親も子どもたち自身もあまりに可哀想である。

## 海外から優秀な人材をどんどん受け入れるべき

最近、LGBTQなど性的マイノリティへの理解増進を目的とした法案が可決した。「性自認」の表現の取り扱いが争点だったが、英訳した「ジェンダーアイデンティティ」が採用された。また、大阪の弁護士がジェンダーレスが理由で殺害の脅迫を受けてニュースになった。なぜ海外では当然の「個性」や個人の生きる「自由」「選択」をつまらない古い偏見で束縛するのだろうか？ このような法律で規定しないと、他人の個性を尊重できないこと自体が恥ずかしくないのだろうか？ 法律が古いなら現状に合わせて柔軟に変えれば良い。「全ての国民が安心して生活することができることとなるよう」との文言が入ったようだが、性的マイノリティの皆さんが国民の安全を脅かす存在なのか？ 失われた30年でニッポンの価値を全く上げられなかった古い政治家たちの方がよほど、国民の安全と生活を脅かしている。性器を変えないと自分の性も変えられないニッポンの法律を諸外国はどのように見ているのだろうか？

スリランカ人のウィシュマ・サンダマリさんが名古屋の入管施設で非人道的な扱いを受けた上で亡くなった。にも関わらず国会では、3回目以降の難民申請者は「相当の理由」が示されなければ強制送還できるようにした。野党などは「保護されるべき人を送還し、命が失われることになりかねない」と反対していた。ウィシュマさんも帰国すると夫のＤＶで命の危険に晒される可能性があったらしい。極めて痛ましいだけでなく、ニッポンの閉鎖性が顕著に現れた事例である。

ニッポンは難民や移民に厳しい国である。もちろん外国人犯罪や不法滞在の増加にも繋がるかもしれない。しかし海外に長くいる人間の経験からすると、インターネットで世界が繋がり、飛行機でどこにでも行ける時代にニッポンがいまだに鎖国のような体制を続け、共通言語の英語も話せず、世界から孤立し、凋落して行くことが極めて残念でならない。むしろ門戸を開き、優秀な外国人に来てもらい、ニッポンの繁栄を一緒に支えてほしいと思う。外国人犯罪や不法滞在は、それを防ぐ施策を強化すればよい。人道的な移民の受け入れと犯罪者の排除は両立できると信じる。

私は仕事でフランスに16年住んでいたが、フランス人たちは皆、明るい。基本ラテン系なので人生を楽しむことを生活の中心に置く人が多い。夏休みも3~4週間は平気で取り、コロナ禍以前は世界の至るところにサマーバカンスで旅行していた。また、田舎に親族のセカンドハウスがある場合も多い。

フランス人は長いバカンスを取るため、夏のパリは、道路工事や建設等の季節労働に勤しむアフリカ系外国人労働者か外国人観光客しかいなくなるといわれる。少し大袈裟だが、それくらい皆長いバケーションを取って気分転換をはかる。満員電車に乗って、少しの休みで働き詰めのニッポン人とは大きな違いだ。コロナ禍を経て、少しでもリモートワークが定着すれば通勤地獄の緩和になるのだが。朝、JRの京浜東北線や山手線が自殺者で止まるアナウンスを聞くのは、ニッポン国民としてもう勘弁してほしいと切に願う。

## ニッポンの大そうじへ

今、私がいるシンガポールも２０００年代前半から急速に成長し、２００７年頃には１人当たりの名目ＧＤＰでニッポンを抜き、２０２２年にはニッポンの2倍以上になっている。当然、生活は豊かになり、皆バケーションで四季のあるニッポンを好んで訪れる。コロナ禍後のシンガポーリアンの海外旅行希望先の約半数はなんとニッポンだった。やはり桜の時期や冬のスキーシーズンが人気のようだ。コロナ禍明けに、シンガポールの旅行代理店に日本旅行のパンフレットがずらりと並んでいたのには驚いた。特に北海道が夏、冬ともに人気である。先日、乗ったタクシーでも「チャンギ空港まで」と頼むと「ニッポン人か？」と、旅行で行った北海道で雪景色と共に撮った写真を嬉しそうに見せてくれた。北半球が秋になると、常夏のシンガポールでも冬服やダウンジャケットが売り出されるのは驚きである。

しばらく訪問していないが、フランスでは「ジャパンエキスポ」というニッポン文化発信のショーがあり、コロナ禍では中止していたが再開したようだ。アニメや日本食をはじめとした日本文化を紹介するエキシビションがメインだが、若いフランス人を中心としてコスプレ等も華やかに盛り上がっている。シンガポールでもマンガやアニメの影響は絶大で、ニッポンの作品が翻訳されて書店に並び、若者はアニメプリントのTシャツをよく着ている。『ドラえもん』や『NARUTO』のような古いものから、今は特に『鬼滅の刃』や『呪術廻戦』などが人気である。カタコトの日本語を話すシンガポーリアンが多いのは、TVアニメの影響も大きいと思う。

このように海外から愛されるニッポンだが、実は国内ではデフレが長く続き、1人当たり賃金も低迷している。子どもも大人も疲弊しているように感じるのは私だけだろうか？なぜニッポンはこんなに元気がないのだろうか？バブルが弾けたからか？プラザ合意に続く屈辱的な日米半導体協定のせいか？製造業が海外進出しすぎた国内空洞化のせいか？いろいろな背景があると思うが、私はニッポン国民が国の方向性を見失い、政治家が短絡的な税金の無駄遣いを続け、企業も社員の幸せより、アメリカ的な株主優先の経営を続けてきた結果によるところが大きいと考える。

これからニッポンが10年、50年、100年と持続的に発展し、国民が活き活きと人生を謳歌する時代を求めることはもう無理なのだろうか？ 老いゆく二流、三流国として細々とアジアの片隅でひっそり存在し続けるのであろうか？

否、まだまだやるべきこと、ニッポンの子や孫たちのためにやれることがあるはずだ。ドイツに抜かれたとは言え、ニッポンはまだ世界4位のＧＤＰを誇っており、海外に誇れる文化や人材も豊富である。海外に20年近く在住し、今もシンガポールに住む私から見たニッポンの今と、これから進むべき道について少しお話ししたい。海外に出ることで、国内にいては見えないものがたくさん見えてくる。海外に住んだことのある人、よく海外旅行へ行く人からは、共感を抱いていただけるところも多々あると期待する。本著がこれからのニッポンの「大そうじ」に少しでも役立てば幸せである。

## シンガポール事情

ブキティマ自然保護区

### シンガポールで一番高い山は163メートル!?

シンガポールは全土でも東京23区程度の広さの島国である。大きな山はなく、一番高い山「ブキティマヒル」でも163メートルしかない。その名の通り、山というより丘（ヒル）に近い。ちなみに流行りのマリーナベイ・サンズホテルが200メートルほどの高さなので、それより低い。ブキティマ自然保護区はシンガポール中心地から車で20〜30分程度でMRT（地下鉄）でも行くことができる。東京郊外の高尾山が599メートルなのでその低さが想像できるであろう。あっという間に山頂なので少し物足りないかもしれないが、シンガポールには他にも多くの広大な自然保護区があり、カニクイザルやオオトカゲ、カワウソ、時にはワニといった野生動物に出会える。個人的にはサザンリッジスの約10キロメートルのトレイルのなかにあるマウントファーバー公園からシンガポールを見渡すのが好きだ。途中のジャングルウォークは非常に楽しいし、気分がリフレッシュされる。ここのヘンダーソン・ウェーブ橋はシンガポール・エアラインの安全案内ビデオにも登場する。ぜひお試しあれ。

# 第2部

# 海外から見た ニッポンの不思議

## なぜニッポン国民は怒らないのか？

ほぼ30年間、年収や1人当たりGDPが変わらず、一方でコロナ禍やウクライナ戦争の影響で消費者物価が上がり続け、このところの円安がさらに物価上昇に追い討ちをかけているニッポン。政府も日銀も今のところ金利政策を大きく変えてはいない。日銀総裁が代わって今後は緩やかな金利上昇もありそうだが。ニッポンの子どもの6人のうち1人は給食費にも困る貧困家庭だといわれている。相対的に女性の年収が低いため、苦労しているひとり暮らしの女性も多い。悲しいことに、生活に困った一人暮らしの老人が孤独死したニュースをかなりの頻度で見るようになった。

電気代やガス代、消費税も上がる一方で、返済見通しのない赤字国債をドンドン発行して借金を増やしている。国債購入者の多くはニッポン国民なので貯蓄金額からしてデフォルトの心配はないといわれているが、借金は借金である。感覚が麻痺している政治家たちが怖い。税金も物価も上がるのに国民の所得は増えず、赤字国債は世界一である。

なぜニッポン国民は怒らないのか？ フランスに16年滞在していたが、我が愛すべき人権の国、フランス人の自己主張は激しい。やれ賃金が低い、ガソリン代が高い、海外から農作物を輸入しすぎだ、なんでも抗議する。ニッポンではほとんど見なくなったストライキもしょっちゅう行われる。すごいのは軍や警察を除く公務員、空港職員や教職員、郵便局員のような人たちもストライキをすることだ。

私が見たストですごかったのは、海外からの食物輸入の規制緩和に怒った地方の農業従事者たちが大量の大型トラクターに乗ってパリ近郊に大挙して行進してきたことだ。たしかマクドナルドがとばっちりで襲撃を受けていた。また、ゴミ収集の市役所職員のストで、パリの街中にゴミが溢れて臭くて仕方ない時もあった。空港職員のストでフライトが遅れるのも日常茶飯事であった。

また、フランスのストではほぼ全てにＣＧＴ（フランス労働総同盟）という共産系組合の赤い旗が翻っている。彼らはほとんど職業軍人のようでストのプロフェッショナルである。どこかの企業でストをやるとなると、傭兵よろしくその企業以外の地域支部の人間もストに加わってくる。それだけ労働者の権利がしっかり守られているのである。ニッポンとは大きな違いだ。

フランス人はストライキには慣れっこで、フライトや電車の遅延があっても、怒りはするがストをしている側の心情に対しては寛容である。さすが人権の国、今いるシンガポールも住み良いが、私はワインと美食、そして人間性重視のフランスが大好きだ。

シンガポーリアンも今の自国の強権政治には不平不満をかなり持っている。ご存じのように唾を吐いても罰金、ガムも禁止、淡水での釣りも許可制、自動車税は高く、自動車を購入する権利と車体でニッポンの3倍近い費用が必要だ。それでもストや抗議が起きないのは、シンガポールが成長してドンドン国が豊かになって国民の生活水準も高くなっているからだ。

## 海外投資の意味は?

2022年のIMF統計によれば、シンガポールの1人当たりGDPは8・3万ドル、これに対してニッポンは3・4万ドルで倍以上の開きがある。急速にニッポンが貧しくなっている。

東京23区ほどの領土しかなく、資源も少ないシンガポールがどうしてここまでの発展を遂げられたのだろうか？ 私は「国家戦略の違い」が大きいと考える。同じく資源も居住できる土地も少ない国同士であるが、「国を富まそう」との政治家の意思がそのまま国民にも伝わり、それが具現化されているかどうかの違いだろう。

２０２４年1月の企業の世界時価総額ランキングを見ると、ニッポンの企業の名前がほとんどない。あのトヨタでさえ39位である。１９８９年のバブル全盛期はトップ50社のうち32社が日本企業だった。1位から5位までをＮＴＴとニッポンの大手銀行が占めていた。円安傾向もあるが、どうしてここまでニッポンの企業は元気をなくしてしまったのか？ 政権の支持率もかつてないほどに落ち込んでいる。与党のドンに「どうやれば支持率上がりますか？」と時の総理が聞いて「これ以上あなたの支持率は下がりようがないから大丈夫」と答えられたという。真偽のほどは定かではないが、こんな政治家たちにニッポンを、子どもたちや孫たちの未来を託して良いわけがない。

2022年8月、ニッポン政府がアフリカ諸国への約4兆円の支援を決めたことを発表していた。ニッポンがGDP世界2位で国が富んでいた頃なら将来への投資の意味も込めて海外支援するのは構わない。ただ、30年間1人当たりのGDPも伸びず、所得も低空飛行のまま で、国債という借金を増やして海外を援助する余力があるのだろうか？安倍政権がロシアに対する200億円規模の経済協力を実施したが、ウクライナ侵攻で今後のエネルギー供給も不安定になり、もちろん北方領土はまったく戻っていない。

そもそも北方領土は、ニッポンが第二次世界大戦に敗れようとするなか、ソ連が日ソ中立条約を破って火事場泥棒のように奪っていった経緯がある。膨大な金を使わずに、外交努力や国際司法裁判所を有効に使って返還交渉できないのか？シベリアに抑留された50万人とも60万人ともいわれるニッポン人に申し訳ないと思わないのか？アメリカの研究者ウイリアム・ニンモ氏によれば、確認済みの死者は25万4000人で行方不明・推定死亡者は9万3000人、これが事実なら約34万人の日本人が死亡したことになる。同じニッポン人としてもっとも許せない事象のひとつだ。

## [図2] 1989年と2024年の世界時価総額ランキング

| 順位 | 企業名 | 時価総額(億ドル) | 国・地域名 |
|---|---|---|---|
| 1 | NTT | 1,639 | 日本 |
| 2 | 日本興業銀行 | 716 | 日本 |
| 3 | 住友銀行 | 696 | 日本 |
| 4 | 富士銀行 | 671 | 日本 |
| 5 | 第一勧業銀行 | 661 | 日本 |
| 6 | IBM | 647 | アメリカ |
| 7 | 三菱銀行 | 593 | 日本 |
| 8 | Exxon | 549 | アメリカ |
| 9 | 東京電力 | 545 | 日本 |
| 10 | Royal Dutch Shell | 544 | イギリス |
| 11 | トヨタ自動車 | 542 | 日本 |
| 12 | General Electric | 494 | アメリカ |
| 13 | 三和銀行 | 493 | 日本 |
| 14 | 野村證券 | 444 | 日本 |
| 15 | 新日本製鐵 | 415 | 日本 |
| 16 | AT&T | 381 | アメリカ |
| 17 | 日立製作所 | 358 | 日本 |
| 18 | 松下電器 | 357 | 日本 |
| 19 | Philip Morris | 321 | アメリカ |
| 20 | 東芝 | 309 | 日本 |
| 21 | 関西電力 | 309 | 日本 |
| 22 | 日本長期信用銀行 | 309 | 日本 |
| 23 | 東海銀行 | 305 | 日本 |
| 24 | 三井銀行 | 297 | 日本 |
| 25 | Merck | 275 | アメリカ |
| 26 | 日産自動車 | 270 | 日本 |
| 27 | 三菱重工業 | 267 | 日本 |
| 28 | DuPont | 261 | アメリカ |
| 29 | General Motors | 253 | アメリカ |
| 30 | 三菱信託銀行 | 247 | 日本 |

出典:STARTUPS JOURNAL

| 順位 | 企業名 | 時価総額(億ドル) | 国・地域名 |
|---|---|---|---|
| 1 | Apple | 28,860 | アメリカ |
| 2 | Microsoft | 27,848 | アメリカ |
| 3 | Saudi Aramco | 21,856 | サウジアラビア |
| 4 | Alphabet | 17,589 | アメリカ |
| 5 | Amazon.com | 15,408 | アメリカ |
| 6 | NVIDIA | 12,906 | アメリカ |
| 7 | Meta Platforms | 9,217 | アメリカ |
| 8 | Berkshire Hathaway | 8,009 | アメリカ |
| 9 | Tesla | 7,644 | アメリカ |
| 10 | Eli Lilly and Company | 5,943 | アメリカ |
| 11 | Visa | 5,396 | アメリカ |
| 12 | Broadcom | 5,032 | アメリカ |
| 13 | JPMorgan Chase | 4,973 | アメリカ |
| 14 | UnitedHealth Group | 4,962 | アメリカ |
| 15 | 台湾積体電路製造 (TSMC) | 4,863 | 台湾 |
| 16 | Novo Nordisk | 4,779 | デンマーク |
| 17 | Walmart | 4,260 | アメリカ |
| 18 | Exxon Mobil | 4,034 | アメリカ |
| 19 | Mastercard | 3,957 | アメリカ |
| 20 | Johnson & Johnson | 3,888 | アメリカ |
| 21 | LVMH Moet Hennessy Louis Vuitton | 3,834 | フランス |
| 22 | Samsung Electronics | 3,822 | 韓国 |
| 23 | 騰訊控股 (Tencent Holdings) | 3,533 | 中国 |
| 24 | Procter & Gamble | 3,504 | アメリカ |
| 25 | Home Depot | 3,463 | アメリカ |
| 26 | Nestle | 3,110 | スイス |
| 27 | Merck | 2,974 | アメリカ |
| 28 | Costco Wholesale | 2,936 | アメリカ |
| 29 | 貴州芽台酒 (Kweichow Moutai) | 2,885 | 中国 |
| 30 | Oracle | 2,877 | アメリカ |
| ⋮ | | | |
| 39 | トヨタ自動車 | 2,504 | 日本 |

アフリカへの4兆円の支援に関しても、中国は長く「一帯一路」の戦略に沿ってアフリカを支援し続けていた。中国企業や人の進出も活発だ。今からニッポンが4兆円をバラ撒いて、果たして本当にニッポンの将来にその投資が効果的に戻ってくるのか？ニッポンの中国に対するODA（政府開発援助）が2022年3月末に終了し、中国はちゃんと利子を含めて返還した。総額は3兆6000億円強だったらしい。超大国化した中国への支援と返済がつい最近まで続いていたのは意外だが、ニッポンは西側諸国で中国にODAを実施した最初の国だった。今や中国はGDP世界2位の大国となり、米国との関係が抜き差しならないものとなっている。台湾有事の際のニッポンの役割も非常に重要だ。地政学的リスクから、日本企業の中国撤退も始まっている。果たして中国へのODAがニッポン国民にもたらしたものはなんだったのか。よく考えなければならない。

ニッポンの政治家は海外へ金をバラ撒くことをひとつの仕事と思っているようだが、ちゃんと長期戦略に沿って実施しないとただ「バラ撒いただけ」になりかねない。今回の4兆円のアフリカへの支援がどのような形でニッポンの国力を上げ、国民を豊かにすることに繋がるのか、しっかり国会等で説明した上で実施してほしい。国民の血税を使うのだから当然だ。

アフリカの人々も貧しく、餓死している子どもも沢山いる。だが一方で、ニッポンの貧困家庭の子どもたちも給食費もロクに払えず飢えている。この現実を政治家は直視すべきだ。

## ストラテジーのない国、ニッポン

アメリカの国防長官を務めたこともある政治家がニッポン遊説を終えて帰国した折、側近に「私はニッポンの首相に数多くあっているが、彼らの言うことが良くわからない。なぜか?」と質問したらしい。すると側近は「ニッポンには戦略（ストラテジー）がないからです」と答えたという。まさに的を射ていると思う。ニッポン国民である私ですら、政府が10年先、50年先、１００年先この国をどのような方向に持って行こうとしているかわからない。アメリカの政治家がわからないのは当然であるが、極めて哀しい事実である。

つい最近も、政府が昨今のエネルギー不足に便乗して次世代型原子炉の開発・建設をすすめることを盛り込んだ「ＧＸ実現に向けた基本方針」を発表した。福島原発事故からまださほど年月も経っていないのに、なぜこのような重要なことを国民の意見も聴かないで決めてしまうのか? また、福島の教訓は活かされないのか?『Fukushima50』という渡辺謙主演の映画を見たが、あの吉田所長の勇気と決断、そして被曝の事実がないがしろにされるようなことはニッポン人として決して許されない。

話は変わるが、このまま何もしないで行くと、地球温暖化により2100年には2000年頃と比べて世界の平均気温が最大4・8度上昇するといわれている。その時の東京の最高気温は43・3度、北海道はなんと40・5度、沖縄は38・5度と想定されている。

2000年代初頭、アメリカ副大統領にもなったゴア氏が『不都合な真実』という本を出版した。$CO_2$の無秩序な排出によって地球温暖化が進み、地球が人類にとって、今存在する動植物にとっていかに過酷な環境になるかと警鐘を鳴らす内容で、私はそれを読んで「人類が滅びかねない」と危機感を持ったのを覚えている。

彼が大統領になっていれば良かったのだが、残念ながら大統領選には落選してしまい、その後の大統領は軍拡や戦争の道を選んでしまった。環境対策が後手後手になり、トランプ大統領は「地球温暖化はでっちあげ」とまでいい切っていた。さすがに今の欧州、アメリカ、中国における干ばつ、オーストラリア、パキスタン、インド各地の洪水、カナダやギリシャの広範な自然発生の山火事を見て地球温暖化を否定する人はいないだろう。シンガポールの

ＣＮＡニュースでは毎朝「異常気象」として世界中の気候変動による災害をレポートしている。ニッポンのメディアはどうだろう？

約10年前、私がフランス・パリの郊外Saint-Germain-en-Laye（サッカーチームのパリ・サンジェルマンの本拠地＝サンジェルマン・オン・レイ）近くの村に住んでいた頃、ゴルフボール大の雹が降ったことがあった。外に駐車していた車の屋根はボコボコになり、ボルドーではせっかくの収穫前のワインの木が折れ甚大な被害となった。うちの借屋の屋根の石材が削れ、下水を塞いでしまって下水が室内に流れ込み、大変な目にあったのを今でも鮮明に覚えている。

映画のような話だが、今では決して珍しくない。世界中で巨大な雹が降り、干ばつと洪水を繰り返している。せっかく京都議定書やパリ協定でＣＯ$_2$削減目標を決めたにもかかわらず、アメリカや中国といったＣＯ$_2$排出大国が自国の利益を優先した結果である。ニッポンも目立った対策は取らず、相変わらず化石燃料に頼っている。なぜＣＯ$_2$大幅削減に舵を切れないのか？ 環境活動家のグレタさんでなくても怒りたくなる。大人の都合やエゴで人類や地球上の動植物を滅ぼしてはならない。そう、白クマの住む場所を愚かな人類が奪ってはいけないのである。

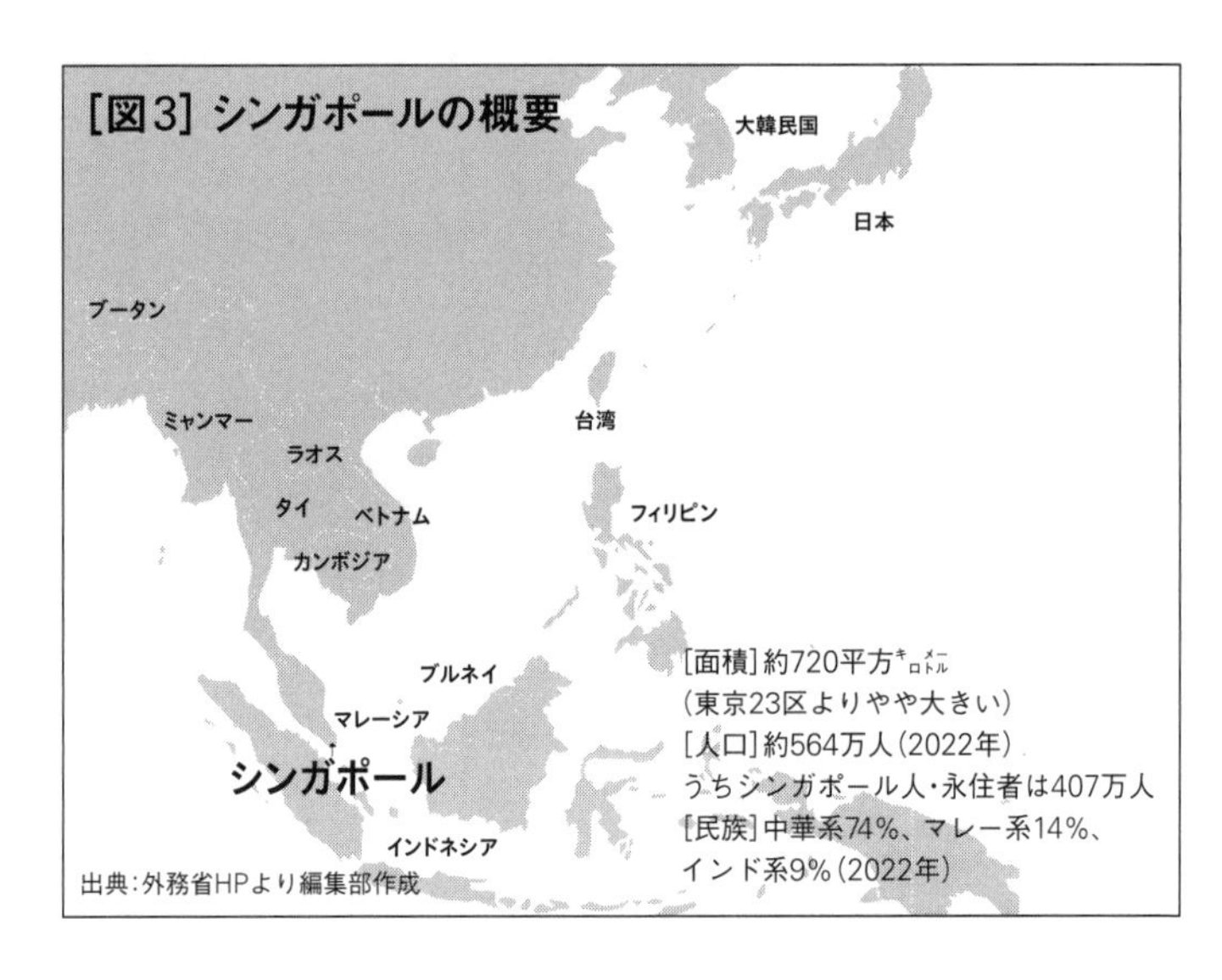


シンガポールは東京23区程度の小さな国だ。地下鉄・MRT東西線(EWL/East West MRT Line)に乗って1時間ほどで端から端まで行くことができる。先日、北端の自然湿地公園に行ったが、比較的東海岸に近いうちのコンドミニアムから高速道路を使って40分程度だった。いかに国土が狭いかがわかる。

しかし小さい国だからこそアクションは早く、政治家の意思決定も政府の方針に沿って迅速に行われている。各地に自然公園があり、動植物が保護され(デング熱防止で「蚊」だけは徹底的に駆除されているが)、また資源が乏しいため、自然エネルギーである太陽光発電と海水の飲料化計画にかなりの力を入れている。

翻ってニッポンはどうだろうか？ 太陽光発電、風力発電、地熱発電にいずれも適した国土であるのにまたぞろ新原発建設などと言い始めている。福島からの教訓は全く活きないのだろうか？ 世界が自然エネルギーによる発電に切り替えるなか、なぜまた原発なのか？ 福井の高浜原発のいわゆる「原発マネー」が電力会社に還流していたことがあったが、今回の新型原発ではゼネコンや電力会社、政治家の利権問題は本当に大丈夫なのだろうか？ あまりに唐突な出現にその背景を疑いたくもなる。

私たちニッポン国民がなすべきことは、ニッポンの未来を担う子や孫に美しい自然いっぱいのニッポンの原風景を残してあげることではないだろうか。また、世界に向けてニッポンの先進技術で自然エネルギーの有効活用や海水の飲料化等の環境ビジネスを手がけ、今後、人口爆発を起こすであろうアフリカや発展途上国を援助することではないだろうか？ 何兆円という国税をバラ撒くことだけが国際貢献や外交の手段では決してない。

個人的な意見ではあるが、人間がコントロールできない技術や武器を研究するのは構わないが、世の中で使うすべきではない。私が小さかった頃、俳優やスポーツ選手を使って政府だったか電力会社だったかが、「原子力発電は安全でクリーンなエネルギーです」と笑顔で語るCMをテレビで流していた。子ども心に「嘘つけ！」と思っていた私はひねくれた子どもだったのだろうか？ 残念ながら私の子どもの頃の漠然とした不安は福島で的中してしまった。使用済み核燃料の放射能が、もとのウラン鉱石と同じレベルに下がるまでに10万年かかると言われている。いったい誰が責任を取るのだろうか？

ちなみに福島原子力発電所事故の当時、私はフランスにいた。フランスのメディアは早くからメルトダウンの可能性を指摘し、フランス人の友人からも「あきらかにメルトダウンだろう」と言われたが、外聞を気にしてか、政府発表はかなり日時が経ってからだった。ニッポンのメディアも慎重を期したのだろうが、かなり遅れてのメルトダウン発表で海外メディアとの踏み込み方と危機管理の違いをまざまざと思い知らされた。

## 政府から国民に語りかけることが肝心

シンガポール政府は、経済施策、エネルギー供給、国防や教育に至るまで、大臣や首相、副首相が丁寧に国民にTVやシンポジウム、タウンミーティングなどを通じて説明している。よく考えれば当たり前のことだが。先般も副首相兼財務大臣が国民との対話形式のカンファレンスを開いてTVで国民の質問にその場で答える様子が映し出されていた。官僚の文書を国会でそのまま棒読みするニッポンの政治家とは大きく様相が異なる。

スマートシティならぬスマート国家(ネイション)を目指して、エネルギー施策にしても大規模な太陽光パネルをビルや工場の屋上、広大な貯水地へ設置することを進めている。また、海水を飲料水にする壮大な計画も国家主導で進めている。大規模な太陽光発電でオーストラリアから電力供給を受ける計画もある。

小さな島国で教育しかリソースがないところはニッポンと酷似しているが、スマートネイション構想を掲げ、国家成長戦略の下で着実に成長を果たすシンガポールと、選挙の時にだけ将来に繋がらないバラマキ政策を掲げ、当選したら私利私欲を貪る政治家が多いニッポンとでは、おのずからその成長に差が出てくる。以前、与党の国会議員が風力発電企業からの収賄で東京地検による家宅捜査を受けた。一体、何をしているのだろうか?

8月9日はシンガポールの独立記念日であり、1965年に独立した際にマレーシア連邦から追い出され、リー・クアンユー初代首相が涙を流して悔しがった様子をいまだに多くの国民が記憶している。彼の子どもであるリー・シェンロン現首相のガーデン・バイ・ザ・ベイでの国民への新年祝賀メッセージがTVで何度も流されたが、自分の言葉で、ひとこと一

シンガポールの初代首相で建国の父、リー・クアンユー氏が2015年3月23日に亡くなった際、シンガポールでは国をあげて１週間の喪に服した

言、噛み締めながら、「国民と一緒に強くなり、豊かになろう」と呼びかけていた。フランスでも、私がいた頃のジャック・シラク大統領、今のマクロン大統領など、皆そうだが国のトップが政策や国の未来に対する処方せんを自分の言葉で語りかけている。ニッポンはどうだろうか？　岸田首相の広島と長崎の原爆投下日のメッセージはほとんど同じだった。官僚原稿のコピペではないかと疑いたくなる。メディアから指摘を受けていたが、その地域に則したスピーチがあっても良かったかもしれない。ご自身の言葉で鎮魂の気持ちをどう伝えるかが大切なのだから。

ニッポンは「失われた30年」と言われてい

るが、一向に日本国債による借金は減らず、国民の生活も豊かにならない。このままでは「失われた40年」に突入しそうである。政府は長く超低金利策を日銀と実施してきた。金利を低くして金を市場に戻して景気を上げようとしたのだが、肝心の国民や企業が、ニッポンの先行きが見えないため貯金や内部留保を崩さない。政治家が明るい「夢」や「希望」を国民や企業に抱かせられていないからだろう。

シンガポール国民はやれ唾を吐いたら罰金だ、チューインガムも国内持ち込みは禁止だ、といろいろ制限があってブツブツ文句はいうものの、国の方向性はしっかり理解しているし、それにより国民が豊かになることを疑っていない。実際そうなっている。だから治安もものはやニッポン以上に良い。最近、ニッポンはわけのわからない物騒な事件が多い。知らない人を刺したり、電車で火をつけたり。子が親を殺し、またその逆も然りである。これらは残念ながら国の方向性が定まっておらず、政治家が投資効果をよく考えず、選挙のために目先の施策にばかり金をバラ撒き続け、国民が年々貧しくなっていること、ニッポン人が将来に夢を抱けなくなっていることと決して無縁ではないだろう。

安倍元首相の「国葬」が国民の過半数の反対にも関わらず、実施された。時期を同じくしたエリザベス女王の崩御により海外からの来賓も少なく、外交面でも成果があったのか大いに疑問である。そんな税金があるなら家計の苦しいひとり親世帯を支援する対策の方がよほど大事だと思うが、なぜ国民の生活を顧みないで成果の乏しい外交政策や国内施策に走るのだろうか?

失われた30年、ニッポン歴代最長宰相として彼が残したものは何だったのか?モリカケ問題、アベノマスク、桜を見る会等々、本当に国民のために全力で邁進していたのだろうか?党利党略、個人の栄誉が優先されていなかっただろうか?政治家にとっては国家のビジョンを示し、国民の安全を守り、生活を豊かにする事が第一義だろう。特に国民の安全という面で、コロナ対策ではアベノマスクやアプリCOCOAに代表されるニッポンの政府の出遅れと無策には、怒りを通り越して呆れてしまった。失われた30年のツケはやはり大きい。

ちなみに、私がシンガポールに入ったのは2021年10月のコロナ禍真只中だった。まずチャンギ空港はブルーの防護服を着た職員や免疫官だらけで、私が今まで見たこともない、感染映画の空港の様相であった。閑散としたロビーでPCR検査を受け、陰性確認ののち、

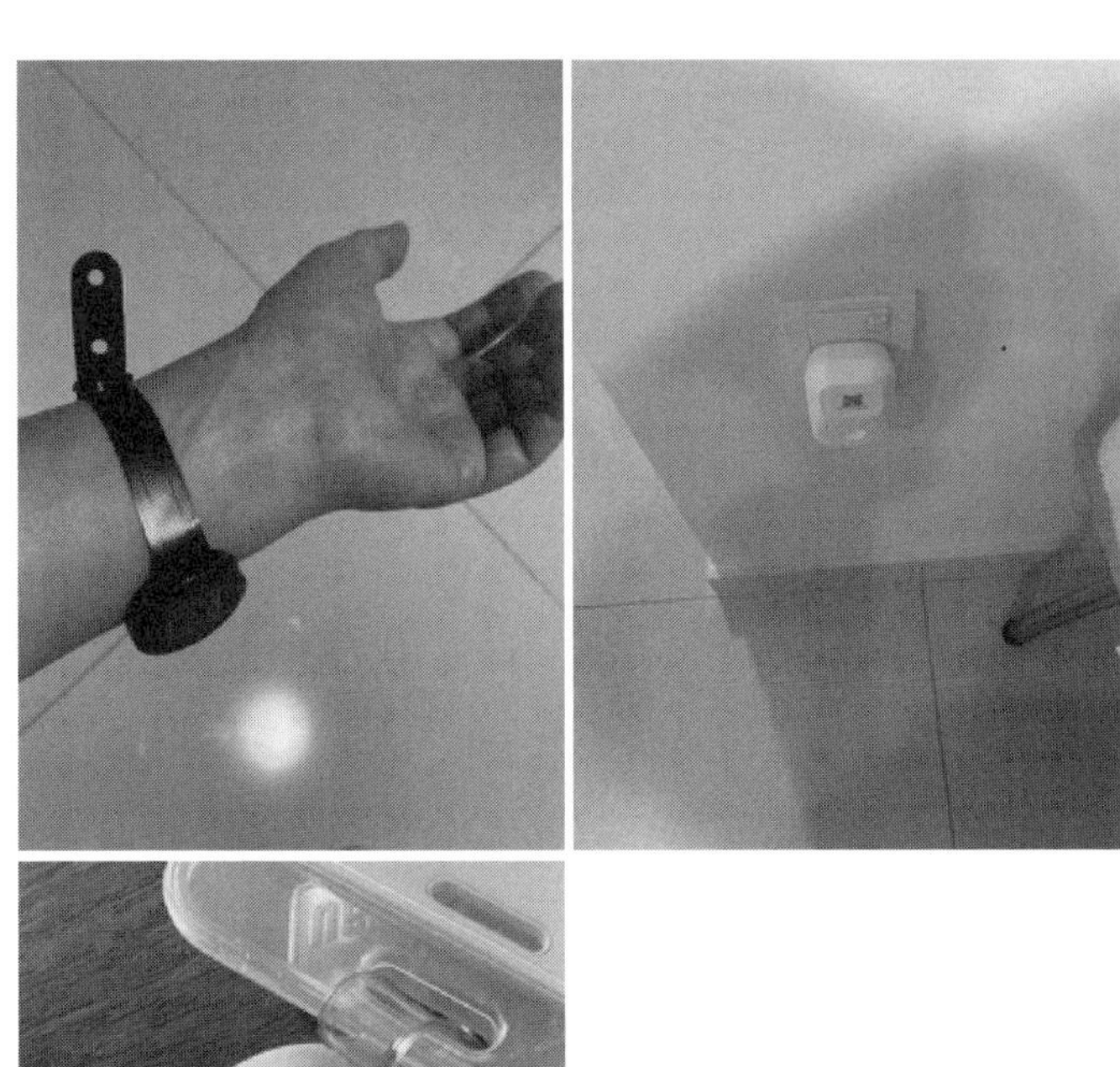

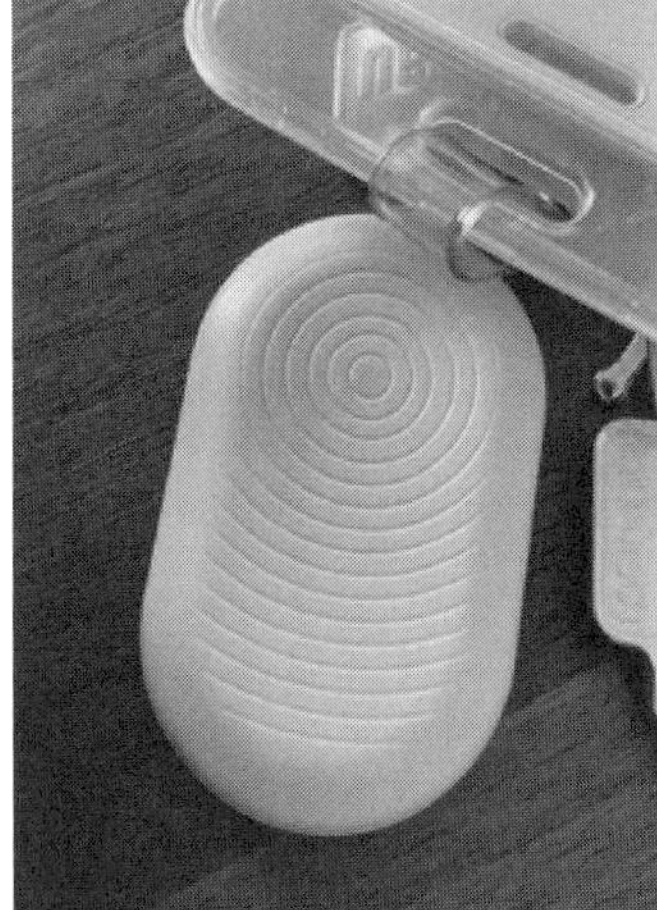

コロナ禍、空港で渡されたリストバンド型デバイス(左上)と、その関連装置(右上)。コンセントに差したこの装置からリストバンドをした人が一定以上離れると通報される仕組み。左下はフィジカルトークン(接種状況確認用端末)

ようやくパスポートコントロールでワクチン証明等のチェックを受けて外へ。会社が手配してくれた迎えのタクシーでも青い防護服を着た運転手が待っていた。

それから社宅マンションに入り1週間の完全隔離。食料が会社から用意されていたのでなんとか生き残れたが、見知らぬ土地での1週間隔離は結構キツかった。特にシンガポールが徹底していたのは、空港で渡されたリストバンドをつけること。これは滞在場所から離れると保健省に通達が行き、罰金などの処罰がある。また、WeChatと呼ばれるＬＩＮＥのようなＳＮＳを使って抜き打ちで保健省からビデオコールが入り、ちゃんと隔離生活を続けていることの確認がある。英語を話せない人はどうするのだろうと思いつつ対応していた。ちゃんとリストバンドもつけているか、ビデオで確認していた。「やる時は徹底してやる」、それがシンガポールである。

1週間の隔離が解けて一番面食らったのが、Trace Togetherというアプリである。その名の通り、居場所を特定するためのものだが、レストランやショッピングセンター、ホーカー(大衆食堂)等々、至るところに入るためにこのアプリが必要になる。ワクチン接種していれば2次元バーコードをかざすだけで良いのだが、老いも若きも皆、携帯にこれをインストールして管理されていた。その後、専用端末を用意し、携帯を使わない人でも簡単に入場できるような対策も施していた。

また、政府主導で「オフィスワーカーはいつからいつまでは50％出社OK、あとはリモート」といった徹底した指導が実施されていた。企業の自主努力任せの日本政府とは大違いである。まだニッポンが第7波で感染者数が高止まりしている時期に、シンガポールではマスク解除が始まった。ニッポンではようやくコロナ禍終盤になって自主検査キットの購入ができるようになってきたが、シンガポールでは1年以上前から政府が無償で自宅配送していた。私も3度ほど受け取って出社前にチェックしたものだ。

国民の安全管理だけでもこれだけの差がある。ニッポンでも不具合を起こしたCOCOAというアプリはどこへ行ったのだろうか？ 私もダウンロードはしたが1回も使わなかった。この頃、海外からニッポンに帰国した人は同じ経験をしたと思うが、成田空港や羽田空港でワクチン接種確認のため1～2時間以上待たされ、しかも感染拡大中にも関わらず、「紙」で注意書きやチェック番号を渡された。もはや違和感しかない。アベノマスクもそうだが、政府のコロナ対策が本当に国民のためになるのか？　という一般の視点が完全に欠落していたと感じたのは私だけだろうか？

## 情けないニッポンの政治家

以前、ニッポンのネットニュースで、ある人が役所に「あなたの親が税金を滞納している」と言われて数年ぶりに実家を訪問したところ、90歳前後の両親が白骨化していたという事件が報じられていた。極めて痛ましいことだ。

２０２２年夏にニッポンの国会議員の平均所得が２２００万円をゆうに越えていて最高は13億円弱、と伝えるニュースもあった。２０２３年11月に再度、国会議員の賃上げがあり、政治家が賃上げ分を国庫返納するとかいっていたが、返すならそもそもあげなければ良い。国民は疲弊している。選挙を睨んで一時的に返納して、次回以降はそのまま受け入れるだけではないのかと疑いたくなる。この13億円弱の所得のある政治家は投資信託で儲けたらしいが、そんな時間と金があるならなぜニッポンの未来や税金を払えないで死んでいく国民のためにもっと働かないのか？　国会の与党と野党の足の引っ張り合いで無為に時間を費やしているのを見て、「国民を馬鹿にするにもほどがある」と思うのは私だけだろうか。

特に最近のニッポンの政治家は、選挙前には「国民の皆さまのために」「明るいニッポンの未来のために」とか言っておきながら、いったん選挙を通れば知らん顔。党利党略、また個人の利益最優先で、海外とは対照的に国民がドンドン貧しくなって行く現状を顧みない。いつからこんな政治家が蔓延してしまったのだろうか？

いまだに選挙で金をバラ撒く（しかも元法相だったりする）、使途不明金のオンパレード、企業からの不正な献金、果ては未成年と飲酒しても開き直って政治家を続けようとする人もいる。一体いつからニッポンの政治家はモラルを保てなくなったのか？ 以前、野党に対して「恥を知れ」と啖呵を切った与党議員がいたが、裏金作りに勤しむ今の与党の状況に「国民に対して恥を知れ」といいたい。

日本国憲法20条は、1項で「いかなる宗教団体も、国から特権を受け、又は政治上の権力を行使してはならない」と定めているが、よく知られているように政治家には旧統一教会をはじめとして宗教団体に関係する人がたくさんいる。なぜだろうか？ おそらくその組織票が目当てだと思うが、なぜ正々堂々、政策や信念で選挙を戦わないのか？ 現役の法相が過去に旧統一教会関連の雑誌でインタビューを受けていた。旧法相夫婦が選挙で金をバラ撒いていた事件もあったが、一体、この国はどうなってしまったのだろうか？ 政治家や大臣は本来、「偉い人」なのだが、これでは子どもが大人を信用できなくなってしまうのではないだろうか？ こういったことは、教育者の破廉恥な盗撮行為や警官の相次ぐ不祥事と決して無縁ではないと思う。

モリカケ問題もいつの間にかうやむやになってしまっているが、我々はあの問題の陰にひとりの責任感の強い官僚の死があったことを絶対に忘れてはいけない。政治家も官僚も皆、不都合なものに蓋をしてしまったが、メディアの皆さんにはこの事実を国民が忘れていないことを肝に銘じ、「なぜ彼は命を落とさざるを得なかったのか？」、その事実の探求をしっかり続けてほしいと思う。

先般、フランスを視察旅行した自民党の女性局長がエッフェル塔の前で同じ女性局の議員とエッフェル塔のポーズで記念撮影し、ＳＮＳに上げて国民の反感を買った。もし政治家が平素から必死に国民のために働いて、国が成長し豊かになっているのならば、ここまで叩かれることはなかっただろう。たとえ3泊5日で、研修のための時間が実質6時間しかなくても大きな問題にはならなかったかもしれない。30年以上失われたニッポンがあり、極度に国力が落ち、国民が貧しくなっているのに、政治家が特権階級として観光旅行のような視察旅行をした、そのことに腹を立てているのだろう。ただ、その政治家たちを選んでいるのは我々国民である。

おそらくこの手の海外視察旅行は長い間、毎年、さまざまな形で実施されているのであろう。ならば、どうしてフランスの優れた少子化対策、たとえば幼稚園含め国公立の学校の基本無償化、複数の子どもを持つ家庭への優れた支援制度、結婚していなくても社会保障を受けられるPACS（Pacte Civil de Solidarité／パートナーシップ制度）制度等が導入できていないのだろうか？ そのことが今のニッポンの人口減少に繋がっているならば極めて由々しきことだ。

明治時代、岩倉使節団による欧米視察は、伊藤博文たちがニッポンを近代国家にすることに寄与したし、それ以前に高杉晋作の上海視察は、欧米列強による悲惨な中国植民地支配を目の当たりにしたことで「これはヤバい」と長州の奇兵隊を組織することに繋がり、ニッポンの独立を守るための原動力となった。一体、今の政治家たちは何のために海外視察に行くのだろうか？

## 画一的な国民を作り上げるニッポンの教育

本来、大人として模範となるべき政治家がこのようなていたらくだから、訳のわからない事件が多発する。たとえば2022年夏、15歳の少女が見知らぬ女性とその娘をナイフで刺すという事件があった。理由が「母親を本当に殺せるかの試し」だったそうだ。「こんなニッポンに誰がした」と言いたい。背景にはいろいろな家庭事情があるのだろうが、ここまでこの少女を追い詰めたものは何だったのだろうか？　そのうち学校で「人を殺してはいけない」と教えることを義務化する法案が可決されるのであろうか？

今、ニッポンの子どもは6人に1人が貧困家庭で育っていると言われる。30年以上続いた経済と所得水準の低迷、そして政府の無策が、一時はGDP世界2位であり、「ジャパン・アズ・ナンバーワン」といわれたニッポンを奈落の底に落とそうとしている。お金のある家の子どもたちは小学校や中学校のいわゆる「お受験」を高額な塾の月謝を親に払ってもらって戦い抜き、有名高校、良い大学を経て社会に飛び出すが、その先に待っているものは何だろう？ 詰め込み教育を受けるなかで自由な発想や国際性を磨く暇もなかった彼らは、国際ランキングが低下しつつあるニッポンの大学を出ても国際社会では残念ながら存在価値を十分発揮できないのではないか？

一方、貧しい子どもたちは給食費もろくに払えず、もはや国立さえ授業料が高くて大学に行けず、社会から取り残されかねない。もちろん学歴なんかなくても優秀で、腕一本で社会を駆け上るすごい人もいる。ただ、公立ならば大学を含めて無償で勉強する機会を国や社会は与えるべきだと思う。フランスなら公立であれば基本、授業料は無料である。美術館や博物館も学生は無料の場合が多い。教育が国民を育て、国を豊かにすることを基本的に理解している。今のニッポンはどうだろうか？ 壮絶な受験競争を勝ち抜いて待っているのは一体何であろうか？

今いるシンガポールから以前駐在したフランスに話がそれるが、通勤時に近所のリセ（高校）の前を通ると、驚くべきことに多くの学生が校舎の前でたむろしてタバコをスパスパ吸っていた。もちろん先生も注意しないし、男女とも「今日の授業かったるいなぁ」的な感じでスパーッとやっていた。私は若い頃、タバコの吸いすぎで禁煙したので、彼や彼女たちの喫煙にとやかく言う資格はないが、健康には確実に悪い。だが精神的には自由に伸び伸びやっている。もちろん服装は自由、喫煙も自由、ワインもけっこう早い時期から覚える。これら全てを肯定するつもりはないが、子どもにとって一番大切な「自主性」や「選択の自由」を大切にしている気がする。フランスでは1足す1は2とは教えない。「何と何を足すと2になりますか？」と先生は訊く。0足す2でも良いし、マイナス1足す3でも良いのである。どう考えたかが重視され、自由な発想やいろいろな可能性を考えさせることが、画一的な国民を作り上げるニッポンとの教育の違いだろう。

フランス人と会議をするとやたらと時間がかかる。考える自主性を育てる教育を受けたので、皆が自分の意見を言わないと気が済まないからであるが、その分、多様な意見が飛び交い素晴らしい発想が出てきたりする。フランス人のデザイン・センスの良さと無縁ではないだろう。逆にニッポンは「詰め込み教育」と「謙譲の美徳」のせいで、会議をやっても皆が上司の顔色をうかがってしまう場合が多い。特に英語の会議では「何か質問は？」と聞いても「シーン」となることが多い。フランス人はたとえ英語が下手な人でも何とかわからないことを確認しようとするし、自分の意見を堂々と述べる。シンガポーリアンはもともと英語が公用語である。遠慮なく中国訛りの〝シングリッシュ〟で聞いてくる。最初は戸惑ったが。

ニッポン人のお金持ちは（案外そうでなくても）、子どもを塾に入れ有名私立に通わせ、ひたすら籠の鳥のように育てる。貧しい家の子は学校にも行けず、落ちこぼれる。学校に行ったら行ったでストレスでいじめが横行する。何と不自由なのだろうか？ 苦労して社会へ出ても厳しい経済環境と国際競争が待っているのに。このようなニッポンの衰退や国民の惨状、海外の発展を顧みない、いや顧みる気のない多くの政治家たち、まさに昭和の古い政治家を「オラが町の先生」、「先生のお父さんにはお世話になったから」と選挙でせっせと当選させている私たち国民にも大いに責任がある。今こそ10年先、１００年先を見越してニッポンを大そうじする時だ。私たちの大切な子どもや孫たちにこれ以上、負の遺産を残してはいけない。今、我々がやれることは何だろうか？

## ニッポンは明るい未来を描けるか

フィリピンに渡った犯罪者がＳＮＳで手駒（協力者）をニッポンで募集して凶悪な強盗犯罪を指導していた。いわゆるルフィ事件である。冒険マンガの主人公を名乗っていただけでも腹立たしいが、狛江市の90歳のおばあさんが散々暴行にあった上、殺害された。極めて痛ましい事件だった。なぜこのような残忍な事件が起きるのか？

ニッポンが多くの政治家の無策により急速に貧しくなったのがひとつの要因だろう。簡単にＳＮＳで犯罪者が集まる環境を見れば恐ろしい時代になったと言わざるを得ない。また、ひと昔前まではニッポン人の常識や良識であった道徳的なハードルが急速に崩壊している。保育園で保育士が幼児を虐待したり、介護施設で介護士が老人を殺害する、若い母親が赤ちゃんを殺す、子が親を殺害する、最近このような悲惨な事件が増えている背景には、このモラル低下があり、その背景には政治家や大企業のトップたちが平気で汚職や贈収賄を繰り返している今の腐ったニッポンの現実が深く根ざしているように感じる。皆自分のことしか考えず、国民や社員の幸せを忘れている。もちろんそうでない良心的な政治家も経営者もいるのだろうが。
シンガポールのＭＲＴという地下鉄に乗ると、シルバーシートにいなくても多くの若者が老人に席を譲るケースが多くて感心する。老人も感謝しつつも当然の権利として席につく。ニッポンではシルバーシートでも平気で若者が座って、妊娠した方や老人がいても譲らない場合が多い。携帯に齧り付いている場合もあり、言えばさすがに譲るが思いやりに欠けると言わざるを得ない。たまに逆ギレされるケースもあるらしい。ニッポンはいつからこんな思いやりのない国になってしまったのだろうか？ 年金生活のご老人をＳＮＳで雇われた貧しい若者が襲撃して拷問の末、殺害する。そんな国に誰がしてしまったのか？

これから老人大国になっていくニッポンが、若者も老人もイキイキとした、希望と活気に満ちた、皆が明るい将来を夢見るような国に戻ることはもうないのであろうか？ いや、まだ遅くはないはずだ。

PRINCE
WALES

シンガポール事情

## シンガポールリバーでカワウソ発見!?

シンガポールの観光で外せないのがシンガポールリバー沿いであろう。マリーナベイに続くボートキーから川沿いに北上してクラークキー、欧州情緒漂うロバートソンキーまでの散歩ルートは、比較的涼しい朝夕は川風を頬に感じて極めて心地よい。先日、ボートキーの川沿いの日系居酒屋で食事をしていると、突然ヨーロピアンと思われるマダムが川を覗き込んで携帯で写真を撮り始めた。「なんだろう？」と思って川のなかを見てみると、大きなカワウソがこれまた大きな魚を捕まえて、頭から食べていたのである。その距離わずか約3メートル!? 魚をかじる音がバリバリと聞こえ、野生動物の逞しさを感じることができた。以前、ジョギングしていた男性が誤って子どものカワウソを踏んで、そのファミリーに襲われ怪我をしたというニュースが出ていた。「こんなことで死んでたまるか」と思ったそうで、皆さんもシンガポールにお越しの際は、家族思いの動物なのでくれぐれも気をつけていただきたい。私はすでにシンガポールリバーでは何度もカワウソを目撃している。カワウソという名前だが、イーストコースト公園の海でも悠々泳いでいるところを目撃している。皆さんもシンガポールリバー沿いを歩く機会があればぜひ目を凝らして水面を見てください。運が良ければ野生のカワウソに出会えるかも？

マリーナベイに続くボートキーから川沿いに北上してクラークキーや欧州情緒漂うロバートソンキーに至る散歩ルート。時折、カワウソと出会うことができる

## シンガポール食事事情

シンガポールの名物料理と言えば、ラクサ、サテ（鶏肉、豚肉、牛肉の串焼き）、チリクラブ等が有名だ。他にもホッケンミー（福建風焼きそば）やプラウンミー（えびそば、「ミー」はシンガポールの言葉で「ヌードル」のこと）等、中国やベトナムといった周辺国から影響を受けたであろう料理もとてもおいしい。シンガポールの至るところにあるホーカー（Hawker／大衆食堂）で、安価でおいしい地元料理や中華、タイ、ベトナム、インドネシア料理などを楽しめる。基本、共働きが多いシンガポールでは庶民の味方だ。朝、ホーカーで食事を買って、赤や黄色のレジ袋を持って出勤する人も多い。シンガポールリバー中流のクラークキーやロバートソンキーには多くのフレンチやイタリアン、ギリシャ料理店等もあり、食文化は極めてインターナショナルだ。とりわけ多いのが日本食レストラン。欧州に長く住んでいた私としては非常にありがたい。欧米に多い「何ちゃって日本食屋」が少なく、シンガポーリアンがシェフでもしっかりした和食を追求している感じがして嬉しい。シンガポールへ来たらぜひ試していただきたい。物価上昇と為替で少々お高くつくが。

ラクサやサテ

# 第3部

# ニッポンの処方せん
## ——星中八策

## ［一の策］　政治家を選ぶのは国民（成果報酬導入と政党解体）

旧統一教会に関係のあった自民党の国会議員が179名と、党の所属議員の約半数弱を占めていた。なかには「霊感商法とかはもう過去の話で問題ないと思った」と言った自民党幹部もいた。いまだに家族が新興宗教にハマって苦労している国民がいることをどう思っているのか？　また、そもそも憲法の政教分離の原則に反していないか？　最初は「組織的な自民党議員への支援はなかった」と言っていたが、この人数ではもはや言い逃れできない。旧法相による違法な金のバラマキも同じ根源だが、選挙にさえ勝てば何をやってもいいのかと言いたくなる。

衆議員選挙で見れば、昭和の終わりまで7割以上あった投票率が近年では6割にまでなっている。支持政党でも今年2月のNHKの世論調査では自民30・5％、支持政党なしが44・0％である。これは何を意味するのだろうか？　岸田総理の支持率が20％前半である。もはや国民の意思と与党の政治はかけ離れていると言っても過言ではない。

昔は「末は博士か大臣か？」と言われ、政治家、特に国会議員はニッポンを代表するもっとも尊敬される職種だった。それが次第に選挙にさえ通れば国民のことは後回し、利権に群がり私利私欲、党利党略が優先でニッポン国民の生活や子どもたちの将来は置き去りにされてしまった。総理大臣在任最長記録を誇った総理が官僚の人事権をも握り、いわゆる「モリカケ」問題や「桜を見る会」問題等を招いた。結局、ニッポンの「失われた30年」となってしまった。

以前、法務大臣が自身の業務について「死刑のハンコを押してニュースになる地味な仕事」と党の会合でとんでもない発言をし、辞任した。毎朝、「今日は死刑執行か」と怯えて暮らす死刑囚の気持ちを少しでも考慮すればありえない発言である。ＯＥＣＤ（経済協力開発機構）の38カ国中、通常犯罪での死刑は基本的にニッポン、アメリカ、韓国以外は廃止されている。アメリカでも半数の州が廃止または執行中止を決めており、韓国も長らく執行していないという。こんな世界情勢において「ハンコを押す」のが「地味な仕事」という感覚、センスが私には理解できない。松本潤主演のドラマ『99・9－刑事専門弁護士－』でも言われているように、ニッポンでは起訴されればほぼ有罪である。長澤まさみ主演のドラマ『エルピスー希望、あるいは災いー』でも冤罪の危険性が訴えられていた。いずれも、今のニッポンの司法のあり方を問う渾身の脚本だったと思う。そのようななかで、頂点に立つ法務大臣があまりにも死刑制度を軽く見ており、その職責をもスチャラカ社員のように揶揄するのは国民として絶対に許せない。

以前にも失言や選挙違反で辞めた法務大臣がいたが、ニッポンの大臣は首相も含め党での経歴や派閥のパワーバランスで決められており、その人の能力や国民の信託は無視されるような状態である。もちろん、その政治家を選んでいるのは国民だ。企業ならば実績を出せない部門責任者は外されたり、左遷されたりするが、今の政治家の人事は実績や国民の期待より党や派閥への貢献度で決められる。それで国が発展し、競争力を増し、国民が幸福になればまだ良いが、現実は失われた30年がさらに40年になりそうな勢いである。バラマキ政治で国の借金は膨れ上がり、円の信頼が落ち続け、ついには暴落してもおかしくないのではと危惧している。

また2022年、裏金問題以前に自民党副総裁の腹心の議員が政治献金パーティーの収支報告違反の疑いで辞任した。当初、「知らない、秘書がやっていた」とお決まりの言い訳をしていたが、検察の捜査が進んで逃れられないと思ったのか辞任した。しかし、収支漏れは4000万円であったらしい。この金額の収入を「秘書に任せてある」は通用しないだろう。一般企業では絶対にありえないことである。これで言い逃れできると考える感覚がすでにおかしい。これが今の与党政治家の一般的なモラルなのだろうか？　そして組織の長はこの責任を取らないのか？　一般の会社組織とは大きく異なる。

2023年9月、第二次岸田改造内閣が発足した。見事なまでの派閥バランス人事だった。次の総裁選（で選ばれること）を睨んで、多数派の派閥にポストを譲った形だ。いつまでこの派閥政治が続くのだろうか？　いい加減、この派閥による「選挙に勝つ」ためだけの政治システムがこの国をおかしくしてしまったことに気づくべきである。また、この派閥が裏金問題を引き起こした。時代錯誤の老人たちが派閥の首領として居座り、失言を繰り返し、首相人事に口を挟む。政治的に老衰したこの国が生まれ変わるための変化や革新を彼らが阻んでいると思うのは私だけであろうか。

この内閣、閣僚の留任が多い。ただ、国民の世論を反映してか女性大臣を思い切って5人にした。「加藤の乱」の加藤紘一氏の娘さんも入閣している。女性閣僚が増えて「やっとニッポンもジェンダーレス社会に近づいたか」と思いきや、副大臣、政務官合計54人のうち女性はゼロである。岸田首相が女性閣僚に「女性ならではの感性や共感力を発揮していただき」云々とコメントしていたが、男性には感性と共感力が期待できないのか？この発言そのものが古すぎて今の若者に受け入れられるとは思えない。企業でも急に世論を慮って女性の役員を増やし始めているが、本末転倒である。女性だろうが男性だろうが、能力と適性で適材適所の人物を選べば、全員が男性になってしまうという組織は異常なのである。世の中の約半分は女性なのだから。

海外の政治家は普通に電車通勤やバス通勤をしている。ニッポンの政治家のように黒塗りの高級車はあまり見ない。海外では一国の首相であってもドイツのメルケル前首相のように、普通にスーパーで買い物をしている。ニッポンはどうだろうか？一般庶民の生活とは遠いところにいて、選挙の時だけ「国民の未来のために」と言って街にでる。普段は伏魔殿のような議員会館や党のビル、国会にいて庶民を顧みない。なぜこうなるのか？

ひとつには、ニッポンの国会議員の給料が高すぎるのだろう。失われた30年でニッポン国民は海外に比べて相対的に貧しくなった。シンガポールはおろかお隣の韓国よりも平均賃金が低いのである。一方、国会議員であれば2千数百万円の年俸に、領収書のいらない文書通信交通滞在費が100万円も月々出るのである。新幹線のグリーン車にも無料で乗れるし、一般国民の生活とは程遠い。本来、政治家とは手弁当でも志を高く持ち、国民のために汗をかいて国民を豊かにする滅私奉公する人たちであるべきではないのか？現実は真逆である。

2021年の自民党総裁選で次の首相候補は？とのあるメディアの問いかけに、河野太郎氏が10数%でトップであったが、なんと30数%が「適任がいない」であった。近年の国政選挙の投票率が50%台と著しく低く、参院選では50%を切ることもあるのは、いかに国民が党利党略優先、私腹を肥やす今の政治家たちに嫌気がさしているかの証左であろう。

私は政治家の給与を今の半分にすべきであると考える。それでも1000万円以上あるのだから、一般の若者から見れば魅力的な報酬だし、これなら贅沢に慣れた2世、3世議員は魅力を失い数も減るだろうし、それでも国を良くしようという志ある人は出馬するだろう。

大事な会議中に自らの新曲を売り込むような（?）タレント議員も、この程度の収入なら興味を示さなくなるだろう。何より文書通信交通滞在費を含む全ての経費は一般企業同様、領収書提出を必須とする。もちろん国家の存亡に関わるような機密費等は別扱いだが。

我々国民は改めて、これからどのような政治家を選挙で選ぶのか、という問題と真剣に向き合わなければならない。シンガポールやフランスといった海外では国の将来を見据え、ビジョンを示し、必要な政策を国民の支援を得ながら実現している政治家が沢山いる。今のニッポンの政治家が腐ってしまったのは我々国民が政治家をその器や政策で見ずに選んできたツケでもある。「おらが村の先生」は地元に立派な公民館や高速道路、もしかしたら新幹線の駅を作ってくれるかもしれないが、世界での競争力がある豊かな国家は建設してくれない。それは選挙に当選することが目的だから。これからのニッポンをもっと希望と夢に溢れたイキイキとした国にするには、我々国民が変わらないといけないのである。

過去には田中角栄元首相の「日本列島改造論」のような骨太のビジョンや政策の下、優秀な官僚がその具現化に邁進し、製造業に関しては「次にニッポンを発展させるのは自動車だ！」「次の未来はコンピューターだ！」「次は産業の米、半導体だ！」と国と企業が国を富ませるために必死に働いてきた。では何が今の凋落を招いたのか？「政治家が何もしない」「官僚が堕落した」の一言で片付けるのは簡単だが、根本原因を見つめ直し、「これからどうすればいいの？」を考えることが大切だと思う。ニッポンを変えられるのは我々国民だけである。

今、東大など難関大学を出ても、官僚になる人は減っているという。言うまでもなく官僚というと今はあまり良いイメージではないが、本来は国をリードして成長させていく大切な仕事である。官僚には残業して始発電車で帰宅するような長時間労働をする人が多く、その仕事の内容が政治家や事務次官の国会答弁の原稿だったりする。その答弁が結局、党や政府、また事務次官などの官僚トップの自己弁護の棒読みばかりだと、それはやる気もなくなるだろう。優秀な若者であればなおさらである。このような優秀な若い官僚が外資系コンサル等に転職するのは国家の損失ではないだろうか？

ではなぜ、官僚の仕事は後ろ向きのものが多いのか？今回のコロナ対策を例に考えてみた。

シンガポールではかなり早い時点でTrace Togetherというアプリが政府主導で開発され、ワクチン履歴がデジタル化され、居場所もトレースできるようになった。これによりレストランや店の入場制限も極めてスムーズに行われ、感染対策に大いに役立っていた。プライバシー等の問題もあるかもしれないが、コロナ禍は非常事態であり、国民の健康と安全を守るためには行政トップは決断をしなければならず、そのために国会があるのである。足の引っ張り合いや自己弁護ばかりのニッポンの国会はもはや機能不全と言うしかない。

コロナ感染簡易検査キットも同様で、シンガポールでは政府が無料で配達してくれる。私が2021年10月にシンガポールに赴任した際も、すぐに自宅に6個入り×2パックが送られてきた。その後も継続されている。ニッポンでは第7波の最終局面でやっとネット購入できるようになったという。遅すぎる！この差は一体何なのか？政府もしくは厚労省の怠慢？国民の安全に対する関心の度合いの差ではないだろうか？この怠慢は「税金泥棒」という言葉がしっくりくるかもしれない。

余談だが、私はシンガポールから一時帰国する際は必ず書籍を沢山購入して持ち帰る。もちろんシンガポールでも高島屋の紀伊國屋でニッポンの書籍も購入できるが、国際輸送費がかかるのか2～3倍の値段がする。以前パリに在住していた時も三省堂やジュンク堂をよく利用したが、同様に高額であった。

最近、シンガポールに持ち込んだ書籍のひとつに天津佳之著の『利生の人』がある。腐り切った北条得宗家の治世を後醍醐帝の理想に沿って変えようと命懸けで戦った楠木正成と足利尊氏の物語である。そのなかの一節に「治世とは万人のためにあるのではないか。誰かが私にして良いものなのか」とある。今の日本政府のやりようを見るに、政治家が「私」しているように思えるのは穿った見方なのだろうか？優秀な官僚たちがやる気をなくすのは当然であろう。

与党の長老のひとりが「ニッポンは〝民度〟のレベルが違う」（ニッポンは民度が高いから新型コロナウイルスによる死者が少ない、他国は民度が低いから死者が多い）と発言したことで物議をかもした。しかしその後、第7波の際にＷＨＯ（世界保健機関）がまとめた

2022年8月14日までの1週間の新型コロナウイルスの感染状況では、ニッポンは新規感染者数が4週連続世界一、死者数が1600人を超え、アメリカに次いで世界で2番目に多かった。ニッポンの政治家として世界に恥ずべきコメントである。彼は安倍元首相の「国葬」に関しても「理屈じゃねぇんだよ」と言い放ち、国民の意見も聞かず、さらには内閣と自民党の合同葬を検討していた政府を黙らせてしまった。政治を一部の与党長老たちが「私」している良い例ではないか。

また、東京オリンピックの贈賄事件でも、別の与党長老の関与が疑われている。過去にもリクルート疑獄、西松建設事件で関与が疑われたが、見事にすり抜けている。安倍政権下において官僚の人事権を官邸が掌握したあたりからこの国の舵取りを金と権力にまみれたこれら与党の長老政治家たちが独占し、官僚は彼らの顔色をうかがうようになり、ただでさえ経済成長が低迷したニッポンをさらに泥沼に導こうとしているのではないか？　国民はしっかり監視しなければならない。

ある米国IT企業の日本法人トップであった方が「ニッポンは昭和の爺さんたちがダメにしている」とネットでおっしゃっていた。まさにその通りで、君臨するけどニッポンの成長や繁栄には寄与せず、党利党略と私利私欲の実現に努めていらっしゃるように見える。申し訳ないがニッポンの未来のために一刻も早く退場していただきたい。もう十分な老後の資産はあるだろうから、一度権力の座から降りて自分のやってきたことでこの30年ニッポンがいかに海外から見て停滞した「二流国」になってしまったのか、冷静に反省していただきたい。

前出の『利生の人』にはこういう一節もある。「世は誰かのためにあるわけではない。世はただそこにあるだけだ。しかし、人はそれを佳きものにできる。現実を動かすのは、今を生きる人にしかできない事である」と。

ではどのようにすれば「民意」を国策に反映させてニッポンを明るい、イキイキとした国家に再生できるのだろうか。

コロナ禍で国民に寄り添い、家族に寄り添い高い支持率があったニュージーランドのアーダーン首相が辞めた際のコメントが心に残っている。

「自分がリーダーとして適任か、そうではないかを見極める責任があります。私はこの仕事には何が必要かを知っており、自分のタンクにはそれに必要な十分な燃料が残っていないことを知っています」

ニッポンの首相は支持率が10数%台になっても、与党の長老たちに媚を売ってさえいればおかまいなしにニッポンのトップの座に居座り続ける。ニッポンの失われた30年の期間に歴代首相最長記録である首相の任期が入るのは、ニッポンの今の政治システムの歪みを象徴しているように感じる。選挙さえ通れば国民の生活は関係なし。国家百年の計もなく、ただ言葉遊びのような「美しい国、日本」「新資本主義」といった中身のない美辞麗句を並べ立てて、国の成長や国民の生活を顧みてこなかった結果が今のニッポンの国力の低下、世界的に見た国家経済の凋落を招いているのは間違いないだろう。今のニッポンは昨今の与党の裏金作りを見てわかるように、「政治的機能不全」に陥っていると言わざるを得ない。

選挙さえ通れば、党利党略、私利私欲にまみれ、バレれば仕方なく辞任する。この繰り返しが、政治不振やひいては子どもたちの大人への不信、将来への絶望感を醸造していると感じる。またこれらの腐った政治家によって、司法や経済界といったニッポンの中枢が関連して腐敗していく事実も見逃すことはできない。

オリンピック不正問題で組織委員会の責任者は誰だったのか？ コロナ禍で外出制限中にかけ麻雀をしていた検察官を任命したのは誰だったのか？ 旧統一教会との関係で辞任した大臣はどの派閥で誰が任命したのか？ 数え上げればキリがない。

ここで、私なりの処方せんを提示したい。まず国の繁栄と国民のために尽くすという本来の姿に、ニッポンの政治家と官僚のあり方を戻すべきであろう。官僚に対しては一般の企業同様、「成果報酬制度」を導入し年俸契約制にして、どのように国家、国民の利益のために働いたのか、しっかりと毎年検証してマネジメントしなければならない。きちんと官僚のミッションを評価して、できれば評価基準もオープンにして国民に伝えるべきである。彼らは「公僕」なのであって政治家の奴隷ではない。一般企業同様、結果を出したものは昇給し、そうでないものは給与を抑える。そのシステムは公正でオープンであるべきだと考える。無論、個人情報は開示してはならない。あくまで評価システムとプロセスの開示のみである。

実際の話で、始業時間になったらおもむろに新聞を広げる地方の役所の管理職、国益そっちのけで社交パーティーに勤しみ、欧米諸国の顔色ばかりうかがう外交官は不要である。ここでは言うまでもなく一般企業の経営経験のある人たちが、政治家と共に、もしくは自ら政治家となって、明治以来続くニッポンの老朽化した官僚体制の改革に取り組む必要がある。残念ながらどっぷりと官僚組織で育ってきた今の事務次官やその候補者たち、上層部では無理だろう。まともな神経であれば、大臣の国会答弁作成に朝方まで若手官僚を働かせるような仕事の与え方はしない。本来、海外では政治家は答弁を自分の言葉で話す。きちんとした国家ビジョンと、それを実行する意志があればできるはずである。書類を棒読みするような政治家はこのインターネットの時代、もはや不要であることは明らかだ。

前述した国会議員の報酬も同様である。30年間にわたり一般国民の賃金が上がっていないのに、公用車や新幹線グリーン車乗り放題などありえない。政治家がこの30年、ニッポン国民のためにしてきたことはなんだったのか？ いたずらに国会の時間をつまらない中傷合戦で費やし、税金を無駄遣いし、選挙のためのバラマキ政策で将来の国益、国民の利益のために使うべき税金を無駄に費やしてきたのではないか？ 本来、志さえあれば今の報酬の半分でも十分である。文書通信交通滞在費も一般企業同様、領収書で経費精算すべきである。もちろん国家機密に関わる部分は極秘にすべきであるが、それ以外はきちんと何に税金を使ったのか、国民に知らせる義務がある。政治家はニッポン国民の代表であって、特権階級であってはならない。

2世、3世議員やタレント崩れが政治家を目指すのは、主にその収入が目的ではないかと疑いたくなる。もちろんなかには、高い理想と国家のために献身的に働く意思を持った人もいるだろう。ただ、大半は自分の身分を保証してくれる党のため、党利党略と保身のために献身的で、選挙さえ通れば国民を顧みない。ニッポンの投票率の低さがこの事実を如実に物語っていると言える。

では、政党政治とは何なのだろうか？ 教科書にも載っていることであるが、17世紀にイギリスで確立されたもので、本来、民主主義を冒すことなく、効率的に政策を進めるための仕組みである。メリットは同じ政治姿勢や国家ビジョンを持った政治家が集い、迅速に政策を進めることができる点であり、デメリットは一般的に政治腐敗を招きやすいことだろう。

これは政党活動に資金が必要となるので、政治力を求める企業や団体との癒着から不正な政党献金や政治家への個人献金がはびこるからだろう。最近のモリカケ問題やカジノ誘致事件、鶏卵汚職事件、裏金作り等、全て政党政治の悪い部分が残念ながらニッポンには顕著に出ているのではないだろうか。

本来、アメリカのような二大政党なら政治もある程度正常に機能するのだが、今のニッポンでは自公与党がずっと長期政権を握ってきているので、腐敗や権力の集中が甚だしい。福島原発事故の前後、いったん、民主党が政権を担ったが、残念ながら国民を豊かにすることはできず、むしろ政権をとったらどうしていいかわからない混沌とした状況に陥った。

今のニッポンを見て、本来あるべき政党政治の「効率的に政策を進める」メリットを感じないのは私だけだろうか？　国民の多数が支持する政党がないこと、また与党の恩恵を得ている企業や団体、「おらが村の先生」をいまだに信奉する地方の組織票を得ていることを背景に、与党に都合の良いその場限りの、長い目で見て国力を損なうバラマキ政策を国会承認しているだけに過ぎないのではないだろうか？

政府は2023年6月、児童手当の拡充に1・2兆円を新たに拠出、支給対象を高校生まで拡大、1人当たり1万円を支給し、多子世帯を支援するため3歳から小学生までの第3子以降の額も、現行の1人当たり1万5000円から3万円へと倍増すると発表した。明らかに選挙対策のその場しのぎの「バラマキ」でしかない。本当にやるべきことは公立高校や国公立大学の無償化ではないか？　いくら目先に1万円をぶら下げられても、教育費の負担がわずかに軽減するだけではないのか？　もっとダイナミックにフランスのように国公立の学校は大学まで無償化、給食費も無償にするぐらいの覚悟がないと今のニッポンの少子化は止められない。いい加減、選挙対策の小手先の議論で国会の貴重な時間と税金を無駄遣いするのをやめてほしい。しかも国債発行という「借金」で。本来、骨太な環境対策や経済対策、防衛対策に関する議論がなされるべきである。

コロナ対策にしても少子化対策にしても、海外への経済協力にしても、今の政治家は税金をバラ撒くことが仕事と考えている節がある。その方が短期的な選挙に有利に働くからである。一度、今の政党を解体してガラガラポンする時期がきているのであろう。無論、簡単なことではないが。まず国民がその必要性を認識することが大切である。激変する世界情勢の中でこれまでニッポンは一体何をしてきたのだろうか？ 技術の海外流出で製造業を衰退させ、ロシアをはじめとする各国に経済協力の名の下に税金をバラ撒いてきた。その結果ニッポンはどうなったのか？

沖縄のある離島の土地を中国人女性の投資家が買って物議をかもしたが、北海道や東京など、ニッポンの土地や物件が外国人に買い漁られている。２０２１年に制定された「重要土地等調査法」はあくまで国土防衛目的のようなので、戦前に制定された「外国人土地法」のような厳しい制限や国土保全管理目的にはほど遠いと思われる。今は外国人の不動産購入の制限はなく、住民税すら免除されている。なぜニッポンの政府はもっと厳しく取り締まらないのか？ シンガポールでも同様に中国人資産家が不動産を買い漁るため、わずか2年で外国人が使うコンドミニアムの不動産価格が1・5倍に膨れ上がっている。シンガポール政府はすぐに国会で法改正を行い、外国人が不動産価格を購入する際には高額な印紙税がかかるようにするなど、厳しい規制をかけた。ニッポンでは水資源も外国企業に任せる自治体が出てきており、国防同様、国土保全にももっと力を注がねばならない。気づいたら周りが外国人に占領されている街や村が出てくるのは時間の問題であり、それだけニッポンは治安、自然、歴史、独自文化、国民の優しい心配り、そして昨今の円安で「魅力的」な国なのである。

今こそ優れた経営者と、ニッポンを良くしたいという「志」を持つ若者が政治の舞台に登場する時が来ていると思う。このまま政治腐敗と税金の無駄遣いが続けば、国家戦略のないニッポンは必ず今以上に凋落する。中国、北朝鮮、ロシアといった独裁色の強い隣国に囲まれ、直接的、間接的に常に戦争を続けている軍事大国アメリカと同盟関係にある以上、自国の意思をしっかり持たなければ国家の生存・繁栄は到底見込めない。今こそ「ニッポンの大そうじ」をして国民の意思で、国を再生する時だ。

シンガポールはかつてマレーシアと国家共存を図ろうとしたが、屈辱的にもそれを果たすことができなかった。要は仲間ハズレにされたのである。その時のリー・クアン・ユーの悔し涙をいまだに覚えていて、共感している老齢のシンガポーリアンも多い。ただ、その悔しさをバネにシンガポールは国家百年の計の下、先進国の仲間入りを果たした。国民1人当たりのGDPはニッポンをとっくに追い越し、豊かさを国民一人ひとりが享受している。ドンドン貧しくなるニッポン人とは真逆である。スマートネイションン構想に沿って未来に躍進する国と、政治腐敗にまみれ、国家指針を失い、さまよえるニッポンとのこの大きな差はどこから来たのか？ 言うまでもなく我々ニッポン人自身の責任である。

COLUMN シンガポール事情

## シンガポールの家には防空壕がある!?

シンガポールの多くのマンションにはいわゆる「防空壕」が設置されている。1997年の法律で民間防衛シェルターの設置が義務付けられ、公営住宅（HDB）でも1階の共有スペース等に設置されていることが多い。私のコンドミニアムにも自分の部屋に1畳ほどのスペースの分厚い壁で覆われたシェルターがあり、物置として利用している。他の住民の多くも物置として使っているらしい。地下鉄（MRT）の駅にも併設されており、かつてイギリスやニッポンに統治された経験から、市民を守る意識が非常に高いと感じる。若い頃の兵役もあり、訓練を終えても10年間はレベル維持のための訓練が義務化されている。平和ボケしたニッポンと違い、いつ侵略されても対応できる気構えができている国だと住んでいて思う。毎年8月9日の建国記念日（ナショナルデー）でも、狭い国にも関わらず、戦闘機のデモンストレーションや軍用ヘリによる国旗の掲揚飛行等もある。学校で国旗を揚げ、国家を歌うことに抵抗のあるニッポンとは大きく異なる。国民が一体となって皆で国家の発展と生活の豊かさを求める姿は正直羨ましくもあり、もういい加減ニッポンも未来志向で国の成長に向けて一丸となって進むべき時ではないか？

ナショナルデー（独立記念日）の
シンガポール国旗の儀礼飛行

## ［二の策］　外交と内政をわけて考える（大統領制の導入）

　では、どのようにニッポンの大そうじを実現するのか？　私は明治維新以来の無血革命のような変革が必要だと真剣に考えている。ただし、平和的に変革を実施するために、まずは今の選挙制度の下で、国民の真の代表が国会のマジョリティを占めなければならない。前述のように一般企業、特に国際企業で活躍した視野の広い経営者と志ある若者が既存の政党にとらわれないパーティーを組むことが必要だろう。ニッポンをひとつの会社と捉え、儲けながら成長する国家戦略を立てることが重要で、しっかりした国家百年の計を持ち、そのためのマイルストーンと政策を掲げ、選挙に堂々と出馬して国民の信託を得ることが大切である。繰り返すようだが、税金バラマキ施策で借金を重ねる今の政治体質を変えなければならない。その上でこれら有志連盟が国会の多数派となり、今の与党派閥政治はもちろん、政党政治を根本からぶち壊すことが最初の一歩だろう。言うは易しだが、それ以外に今のニッポンを再生させる方法はないと思う。

　ご存知のように、アメリカやフランスでは国政を大統領と首相が分担している。国策や外交は大統領が、内政や政策実行は首相が担う場合が多く、大統領が国家の顔となる。シンガポールやインドなどは首相の権限の方が強いようだが、ニッポンは首相のみが強大な権力を握っている。優秀で国際感覚に富み、国民の信託を得るような立派な人物なら問題ないかもしれないが、今のニッポンのように与党で長老が決めた政治家が派閥の順番で政権を持ち回るような姑息なやり方をしていては、とても国際競争に勝てない。政党で長老に尻尾を振って出世することしかしてこなかった政治家が、首相になってプロの海外の政治家と対等にやり合おうとしても正直ハードルが高い。海外の政治家から「ニッポンの政治家は戦略がない」と言われる所以である。

私はニッポンも大統領制に似た政治体制を採用するべきだと考える。今の複雑な世界情勢に対応するためには、悲しいかな世襲や派閥指名総理ではとても太刀打ちできない。国策と外交を高いレベルで担う大統領的なトップと、内政、経済を牽引する首相とで役割を分担し、安定した国家運営を実施すべきである。どのように国際社会は人類の共存・共栄を図るべきか？ 唯一の被爆国であるニッポンが世界平和のために果たす役割を担い、気候変動などの世界共通の問題解決に向けてリーダーシップを発揮する大統領のようなトップと、それを補

**佐し、国内の経済を活性化して国民を豊かにするナンバー2、たとえば首相を置くことが国家運営の肝だろう。何もかもが与党派閥の持ち回りで、ご褒美で総理大臣になる今の古い昭和の会社のようなリーダーの選び方では、ニッポンは間違いなく滅ぶ。実際、ニッポンの国力は急速に落ちている。**

2023年8月、福島原発のALPS処理水の海洋放出が多くの漁業関係者や国民の不安のなかで開始された。国際原子力機関（IAEA）も国際安全基準に則った放出であるのを認めている。にも関わらず、ニッポンの農水大臣は処理水を「汚染水」と発言し物議を醸した。普段からそう思っているから出てきたとしか考えられない。この人は中国がニッポンの水産物を全面輸入禁止した際も「全く想定していなかった」と発言している。処理水の海洋放出に反対を続けている中国の反日姿勢を見れば容易に想像がつくはずである。国家の威信や全国の漁業者、関係する国民の不安を考慮しない誠に無責任な発言である。こういったサラリーマン的（悪い意味で）政治家や大臣が多いのには本当に呆れるし、「国益」という面で残念でならない。本当のニッポンのサラリーマン、サラリーウーマンは満員電車に長時間揺られ、日々苦しくなる生活をなんとか維持するため、住宅ローン返済のため、必死で働いているのである。こんないい加減な政治家たちのために源泉徴収という自動徴収の「血税」を払っているのでは決してない。

一方で与党衆議院議員が国会質問の依頼を受けて便宜を図った見返りに合計約7200万円相当の賄賂を受け取ったとして東京地検特捜部に起訴された。事実なら、原子力に代わる自然エネルギー活用の進展を妨げかねない行為である。秋田の鶏卵会社やカジノリゾートの収賄事件といい、なぜ昭和でない令和の今も政治家は金にまみれるのか？自民党の裏金作りも同様である。現在の与党の集票システムと決して無縁ではあるまい。もちろんクリーンな政治家も多くいると信じるが。いい加減、我々国民も私利私欲に走る政治家を選ぶことをやめなければならない。悲しいかなニッポンは二流はおろか三流国に堕ちようとしている。

**まずは今の選挙制度の下で、国際企業経営者群とニッポンを変えたい、ニッポンを良くしたいという志ある若者たちでパーティー（連盟）を作り、政権を握ることである。いわゆる現代版「松下村塾」で若者を育成することである。**江戸末期の老朽化した幕府は、黒船が来て脅されてオタオタして何も決められないうちに滅びかけた。外圧に負けそうで国力が急速に落ちている様子は今のニッポンそっくりではないか。アヘン戦争以降、植民地化されていく中国を見て、「このままではニッポンが危ない」と志士たちを育て上げた松下村塾の役割が、ニッポンを近代国家ならしめた最初の起爆剤だと私は考えている。あの頃は幕府に逆らうのは命懸けだったが、今はそこまでのリスクはない。若者が本当に将来に不安があるなら、自らの力でニッポンの未来を、皆さんの将来を変えてはどうか？　我々シニア、特に海外や国内で経営に携わった人たちはこれらの若者の結束を全力で支援して行くべきである。

「言うは易し、行うは難し」で、現在の岩盤のような与党の集票システムを超えるのは簡単ではない。ただこの30年続いた国家成長の停滞がこのまま続けば間違いなくニッポンは先進国から後進国になり、G20に呼ばれなくなるのも時間の問題である。今、ニッポンの政治に必要なのは企業同様、成長戦略で国に売上・利益をもたらすことのできる経営者たちであり、それを実現していく「夢」を持った若者のエネルギーである。ただ、残念ながら若者には資金と経験がない。しかし、ニッポンの優れた経営者たちがニッポンの進むべき道を示し、彼らの背中を押すことでニッポンの再生が可能だと考える。今の時代、クラウドファンディングもできるし、しっかりとした国家ビジョンと政策があるならば、たとえば「ワンコイン

（五百円玉）政治結社」を立ち上げて支援してくれる国民からワンコインだけ支援してもらう形をとっても良い。10％の国民が賛同してくれるだけで約50億円の資金である。今の膨大な無駄な税金の使い方を考えれば、やり方さえ間違えなければ多くの国民が支援してくれるだろう。「変わろう」「変わらなければ」という国民の意思を汲むことが大事である。明治維新のような巨大なうねりをニッポンに起こすことができれば、必ずニッポンは再生する。

ニッポンでは多くの若者が職を失い、将来年金も期待できずに夢を失っている。一方で国際感覚を持った優れた経営者たちは今のニッポンの衰退をかつての「ジャパン・アズ・ナンバーワン」の時代と照らし合わせて嘆いている。このそれぞれの優れた経営センスと若いエネルギーによって、ニッポンを大そうじすることは決して不可能なことではない。このまま小手先の税金バラマキ施策と国家戦略のないＯＤＡ、軍備拡大等で国を滅ぼすのか、無血革命とも言うべき市民変革により主権を国民に取り戻し、この国の行末を国民一人ひとりが真剣に考え、行動するべき時なのか？ 言うまでもないだろう。我々は今、国家存亡の危機にいると言っても過言ではない。

## ［三の策］　ニッポンを守るのはニッポン国民自身（富国強平のススメ）

あえて「富国強兵」ではなく「富国強平」という言葉にしてみた。「富国」とは国際観を持ってビジネス視点で企業のように対投資効果（ＲＯＩ）を見ながら国を運営し、文字通り経済発展によりニッポンという国を富ませること。「強平」とは、もはや飛行機をはじめとする交通手段の発達やインターネットによる国境なき社会になりつつある今、強力に世界的な「平和」を推し進めることだ。そうしないとニッポンはおろか人類そのものが滅んでしまう。核戦争の脅威や気候変動などはまさにその兆候であろう。それらの意味を込めてあえて「富国強平」のススメを提言したい。

岸田政権がインドへの５兆円に続いて、アフリカに４兆円を投資することをチュニジアのチュニスでぶち上げた。ちなみにチュニスは、太陽溢れる海の綺麗なアラブ情緒溢れるチュニジアの首都である。ニッポンがＧＤＰ世界２位で勢いのあった頃なら良いが、今やニッポンの子どもの６人に１人が貧困家庭と言われる、給食費も満足に払えない状態。そうしたなかでこの多額の投資の意味はどこにあるのだろうか？ 良い悪いは別にして、中国の「一帯一路」の戦略性とは大きく異なる単なるバラマキ支援に見えるのは私だけだろうか。

ニッポンはこれまで平和も含めて多くの外交成果を「金」で買ってきた。「信頼」ではなく、である。中国にはこれまで円借款を含め約3兆6000億円の支援を実施してきた。それに対して中国のニッポンへの信頼の低さはどうだろうか？　また、ロシアへは安倍政権下、6年間で2000億円を投入したといわれるが、北方領土は1ミリも戻っていない。1ミリも、である。一般の企業では投資して回収できないとその企業は潰れるが、ニッポンはその運営が国民の税金と赤字国債でまかなわれている。この対投資効果（ROI）の欠落がニッポンの国力、経済力、国際的な地位の下落に繋がっているのではないか。

私も経営者の端くれではあるが、新しい設備の購入やシステムの導入では必ずその回収やメリットを確認し、大きな金額の場合は投資審議を実施する。もちろんその後、計画通り新設備が使われているかを検証する。本来、インドへの5兆円やアフリカへの4兆円の巨額投資なら、国会でちゃんと審議して国民の納得を得てから実施しなければならない。これらの投資が将来、私たちの子どもや孫の世代に大きくリターンとして帰ってくるなら有意義だ。

たとえ今のニッポンの貧困対策を後回しにしても、である。だが、私はこの投資の意義を聞いたことがない。我々の税金を使うのにだ。中国やロシアへの支援のように、「信頼」もなく税金をドブに捨てるようなことにならないか、国民はチェックしなければならない。

岸田総理が成長も分配も実現する「新しい資本主義」の実現を唱えているが、どうもよくわからない。まだアベノミクスの方が具体性はあったと思う、その効果は別として。アベノミクスは株価と企業成長ではそこそこの成果を出したが、企業の内部留保が増えただけで国民への賃金上昇等による消費喚起までには至らなかった。では岸田総理の「新しい資本主義」ではどのような具体策があるのだろうか？　これから注視していきたいが、旧統一教会と自民党のズブズブの関係やそれに伴う国葬問題と併せてどこまで政権が持つのか疑問である。そうやって与党内で総理の椅子取りゲームをやっている間にニッポンは競争に乗り遅れ、国際社会から取り残されていく。与党の長老政治が完全にニッポンの未来を潰していると言っても過言ではない。

「新しい資本主義」と聞いたとたん、斎藤幸平氏の『人新生の「資本論」』を思い浮かべた。

従来の資本主義による成長ありきの経済発展ではなく、気候問題に対応した経済モデル、人の幸福に重点を置いた経済活動への転換を説いたものであるが、極めて斬新な提言である。現在、ニッポンでは格差や貧困が蔓延し、それらの要因による凶悪犯罪や自殺が増えている。岸田政権の「新しい資本主義」が単なる与党お得意の「バラマキ」分配主義でないことを切に祈る。子どもや孫世代に「希望」を与えることが今、ニッポンの政治に求められる最優先課題ではないだろうか？

話は変わるが、今、世界には約1万3000発の核弾頭、いわゆる核ミサイルがあると言われている。一体何回、地球を滅ぼすことができるのだろうか？主にアメリカとロシアだが、イギリス、フランスはもちろん、中国、インド、パキスタン、イスラエル、最近では北朝鮮までもが保有している。ウクライナ戦争でロシアのプーチン大統領が「核使用は脅しではない」と言っているが、実際そうだろう。独裁政権は末期には何をしでかすかわからない。ヒトラーが最後に「パリは燃えているか」と言ったのは有名な話である。幸い、部下のコルティッツ将軍が命令を無視して美しいパリは残されたが、核ミサイルは地球を滅ぼす。人類はなんと愚かな動物だろうか？地球温暖化に飽きたらず、人類以外の動植物も全て滅ぼそ

## [図4] 世界の核兵器保有数

| 国名 | 配備核弾頭 | 貯蔵核弾頭 | 退役・解体待ちの核弾頭 | 核兵器数（2023年1月時点） | 核兵器数（2022年1月時点） |
|---|---|---|---|---|---|
| 米国 | 1,770 | 1,938 | 1,536 | 5,244 | 5,428 |
| ロシア | 1,674 | 2,815 | 1,400 | 5,889 | 5,977 |
| 英国 | 120 | 105 | — | 225 | 225 |
| フランス | 280 | 10 | — | 290 | 290 |
| 中国 | — | 410 | — | 410 | 350 |
| インド | — | 164 | — | 164 | 160 |
| パキスタン | — | 170 | — | 170 | 165 |
| イスラエル | — | 90 | — | 90 | 90 |
| 北朝鮮 | — | 30 | — | 30 | 20 |
| **合計** | **3,844** | **5,732** | **2,936** | **12,512** | **12,705** |

出典：SIPRI YEARBOOK 2022、2023

うとしている。我々は子や孫に美しい地球を残してやれないのだろうか？

先日、シンガポールのリー・シェンロン首相が北京で中国の習近平国家主席と会談した。シンガポールはASEANとして中国の脅威に対抗し、国土に見合わない軍事力を持つ。と同時に経済や外交では中国と緊密な関係を築いている。国民の約7割が中国系移民の子孫であることも大きく影響していると思われる。一方でウクライナ戦争ではASEANで唯一ロシアに対して、西側諸国やニッポンと同様に制裁に加わっている。シンガポールの政治家は極めてしたたかである。

同時期にニッポンの林外相が中国を訪問し、ニッポン企業の駐在員が中国国内でスパイ容疑において勾留されていることへの抗議を行った。言うまでもないが外交においては硬軟織り交ぜて、諸外国とのパイプを構築し、国を安全に保ち、また貿易や日本企業の利益のために信頼を構築することが大切である。だが現在、ニッポンは核を含めてアメリカの傘の下において「おんぶにだっこ」でまるで頼り切っている。国としての外交能力においてシンガポールとは大きな差があると思われる。

先日、マリーナベイ・サンズの国際会議場で労働大臣のカンファレンスに参加した。労働大臣のドクター・タン・シーレン氏は「シンガポールは小さな国であり、国民が唯一の資源である。国民や労働者一人ひとりの能力を最大限に高めて国をますます豊かにしていこう」と自分の言葉で、自信を持って出席者の企業人や組合関係者に熱弁を振るっていて感銘を受けた。実際、シンガポールの発展はめざましく、国民の生活水準も急速に上がっている。

シンガポールは資源がなく、水はマレーシアから購入し、石油等の天然資源もインドネシアや諸外国から購入している。ニッポンも同様に資源に乏しく（最近は膨大な海洋資源が注目されているが）、人こそが唯一の資源である。にも関わらず、オリンピック疑惑に代表されるような私利私欲に走る政治家または経済人が多く、国が腐敗し、国債を含めた若者たちへの負の遺産ばかりが増え、詰め込み教育で自主性や国際性を生み出さないシステムにより若者が袋小路に追い込まれているような気がする。安倍元首相の銃撃や岸田総理への爆弾投げ込み騒ぎも、このニッポンの歪みがひとつの大きな要因なのかもしれない。

ニッポンもかつてバブルの頃は皆、国の行く末に疑いもなく、希望を持って世界に羽ばたいていた。まさに今のシンガポールを舞台にした映画『クレイジー・リッチ』のような高揚感に溢れていた。今のニッポンを海外から見ていると、夢も希望もなく、国の借金は増える一方、平均賃金も30年上がらない、若者は一生懸命働いても年金もロクにもらえない、そういった閉塞感に陥っている。このような今、ニッポンの政治に求められることとは何だろうか？

**ニッポンの防衛に話を戻そう。富国強平の「強平」とは、人類の叡智を結集して恒久の「平和」を実現しようとするものである。また、そのために核戦争の最初の被害者であるニ**

**ッポンが率先して「範」を示そうとの考え方、提言である。**

「知の巨人」と言われるエマニュエル・トッド氏が「ニッポンはフランスのように核武装すべきだ」と報道番組でもその著書でも言っている。ニッポンという国を無法な隣国から守るにはもっとも有効な手段だろう。ニッポンの知識人は「ニッポンにはその考えは合わない」「ニッポンの歴史から見ればわかること」「人道的な見地から許されない」とか言っているが、根本的に「それならどーする？」の主張が必要だろう。独裁国家の隣人がいて、核で脅されたら国土の侵略を許すのか？ ウクライナのように侵略を受けたら一体どうするのか？ 人の意見を否定するならば自分の考えを明確に主張すべきだ。

岸田総理が「被爆地出身の首相」を喧伝しているが、では具体的に「どーする？」のかがよく見えてこない。2022年、ウィーンで核兵器禁止条約に参加する国々による締約国会議が開催されたが、ニッポンは不参加だった。同じく第二次世界大戦の敗戦国だったドイツはオブザーバー参加だった。会議に参加すれば良いというわけではないが、唯一の被爆国ニッポンの姿勢を世界が注視している。いつまでもどっち付かずの様子見をしているのでは、広島や長崎で亡くなった皆さんに対して後世のニッポン国民として恥ずかしい限りである。

ニッポンは原子力発電を継続している。福島の原発事故から学ばないこと甚だしいと思うが、一説には核攻撃を受けた際に、原発があれば核兵器への転用がすぐにできるからだとも言われている。これもおそらく事実だろうが決して表には出ない。誰も第三次世界大戦を望まないと信じたいが、現状はそれに向けて世界の不安定感が増している。トッド氏は「すでに第三次世界大戦は始まっている」とも断言している。核戦争で人類が滅ぶ前に、唯一の被爆国であり、50万人とも言われる非戦闘員の市民がたった2発の爆弾で虐殺された国民の末裔として、我々が取るべきリーダーシップがあるのではないかと思う。

北朝鮮の拉致問題にしても同様で、国民の命と財産を守るのが政治家の役目なら、それを実行力で見せてほしい。この件では小泉元首相のリーダーシップが素晴らしかったと記憶しているが、その後進展はない。今の政治家の問題先送り、バラマキによる借金の増大、選挙対応の小手先の施策、国会内の与党と野党の足の引っ張り合い、どれをとっても国民に奉仕しているとは見えず、ひたすら国力を貶めているとしか見えない。今こそ持ち回りの派閥政治家ではなく、ニッポンの優秀な経営経験者、国際的知見のある人に国のP／Lやバランスシート、キャッシュフローを委託し、国のトップ自らが核廃絶に向けたリーダーシップを世界に示す時である。国が富まなければ、国民の士気は落ち、世界への発信力も弱まる。何より国力が落ち続け、円の信用度がなくなり、このままいけば円暴落を招きかねない。

先日、シンガポールのコンビニでコカ・コーラを買ったら1本2・9シンガポールドルだった。1シンガポールドル＝111円で換算（2023年11月現在）すれば約322円である。ニッポンのコンビニなら150円程度なので2倍以上である。今は値上がりしつつあるようだが。アメリカなどもラーメンが一杯2000円を超えるのがザラらしい。一時的に円高傾向に戻るかもしれないが、基本通貨はその国の信用度を表すので、このまま経済の停滞が続けば円の価値は落ち続けるだろう。一刻も早く、真っ当な経営経験のある人物が志ある若者たちと経済を立て直さないと、40年、50年後にはニッポンは借金が限界にきて、「かつてGDPが世界2位の国だった」という「たそがれ国家」に成り果てるだろう。でも、まだ遅くはない。国家の新しいビジョンを立て、そのための方策を政策とし、優秀な経営者をトップに据え、優秀な若い官僚や若く新しい政治家にやりがいを持って働くための課題を与え

シンガポールの中心部、マリーナベイ地区に佇む高級リゾート「マリーナベイ・サンズ」

れば、この国は必ず再生すると私は信じる。

繰り返すが、シンガポールの2022年の1人当たりの名目GDPは為替にもよるが1160万円程度（USD8・3万ドル）である。ニッポンは480万円程度（USD3・4万ドル）。約2・4倍である。約30年前に初めてシンガポールに来た時は、そこかしこでドリアンの匂い漂うのどかな新興国だったが、今やスマートネイション構想に沿って急速に発展、街は近代国家の様相を呈し、マリーナベイ・サンズやガーデン・バイ・ザ・ベイは近未来都市のようである。失われた30年でドンドン貧しくなるニッポンと何が違うのか？古い政治体制で世界の変革に乗り遅れ続けているニッポンは今こそ変わらないといけない。いつまでも「たそがれている」場合ではない。

借金まみれのニッポンが経済支援で他国への財政支援をしているのは、他国から見ればありがたいが、滑稽な構図だろう。「核兵器はダメだ」と言いながらアメリカの核の傘（これが本当に機能するかは疑問）の下でぬくぬくしているニッポンは極めて不思議な国に見えることだろう。ニッポンの経済を新しいビジネス戦略で立て直し、世界平和へのリーダーシップをとる国を目指す「富国強平」は今後ニッポンが発展し、世界平和に貢献できるようになるための極めて有効な指針であると確信している。

岸田総理はアメリカのバイデン大統領と会い、ニッポンの軍事力を今の2倍レベルにすると言って大いに褒めてもらってご満悦だったようだが、そのような議論をいつ国会でやったのか？　また、それが本当にニッポン国民の総意なのか？　膨大な戦略兵器をアメリカをはじめとする西側諸国から購入するのは、疲弊した国民生活をさらに悪化させ、親が子を、子が親を殺すといった悲しい犯罪を生む負のスパイラルを助長することになるのではないのか？なぜ国民の意見を聞かずにそのような重要な約束をしてしまうのか？**「富国強平」に沿った**

国家戦略で真の国防戦略を確立すべき時だろう。「自分の国は自分で守る」が世界共通の国家としての意思であるべきである。スイスのような永世中立国になるか、アメリカとの対等な同盟を求めるのか、非核国家と協力してアライアンスを組むのか？ 国民の意思を問うべきだろう。

私はニッポンが自国を守るために戦力を一時的に強化するのは決して間違ってはいないと思う。だが何度も繰り返すようだが、そのためには国家百年の計に沿って、ニッポンがどのような国を目指し、そして世界平和のためにどのように貢献し、その手段とマイルストーンを明確にした上での話である。何も国会で議論せず、国民の意見も聞かず、血税で戦略兵器を無条件で購入するのとは本質的に異なる。

このまま世界が核兵器拡大、ウクライナ戦争、イスラエルのガザ侵攻のように各国の都合で他国を攻める愚行を許していたら、間違いなく人類は滅びるだろう。その時は放射能まみれの地球になり、人類以外の生物も悲惨な環境変化に対応しなければならない。そして多くのスピーシーズ（種族）が滅びるだろう。

原子力に関わる科学者たちが発表している人類の終末時計は２０２３年末で残り90秒となっている。核戦争危機と気候変動でどんどん終焉が近づいている。我々人類にできることはないのだろうか？ スウェーデンの環境活動家であるグレタさんは各国首脳たちへ強烈なメッセージを送り続けている。「大人の都合で未来を担う我々の地球を壊すな」と。我々大人が目をつぶっていては絶対にいけない。

この小さな島国、シンガポールにも軍隊があり、兵役があり、なんとアパートメントには防空壕の設置が義務付けられている。他の家でも我が家同様、物置となっているようだが、分厚いコンクリートの壁と鉄のドアの一室が装備されている。ニッポン含め各国からの侵略に遭ったシンガポールの歴史に基づく対応であろう。東京23区程度の広さの国だが、戦闘機が訓練飛行していることも珍しくはない。南沙諸島を巡るフィリピンと中国の緊張は決して、シンガポールにとっても、そしてニッポンにとっても他人事ではない。

周辺国がニッポンの軍備拡大を「脅威」として喧伝しているが、実際、ニッポンが自らの意思で戦争へ向かう可能性は極めて低い。多くのニッポン人が私と同じ考えだろう。それでも周辺の独裁色の強い国々に対応しなければ、いつウクライナのような悲惨な状況を招くとも限らない。ニッポンはまともに人権も守られないクレージーな隣国と接していることを決して忘れてはならない。また、いつまで経っても進展しない北朝鮮拉致被害者のことも忘れてはならない。核兵器は明日、平和なニッポンに飛来してくるかもしれないのである。

ではどのようにニッポンを守り、世界の核兵器を管理し（現実的に全くなくすことはできないと考える）、世界平和を実現していくのか？ 人類が今、真剣にこの命題に向き合わないと、核兵器と環境破壊で地球は滅びてしまう。

ニッポンの政治家はロシアがウクライナに戦争を仕掛けたのを見て、アメリカや西欧諸国の尻馬に乗って「軍備拡大だ」とまた血税を使い、国債という「借金」を増やして兵器を購入しようとしている。だが、その前にやるべきことがあるのではないか？ 国民の意見を聴き、国会で国民に対して納得のいく説明をすべきである。そして将来、ニッポンの国防はどうあるべきなのか？ しっかり羅針盤を見せるべきだ。そういうプロセスなしにただ兵器購入に走るのは職務怠慢、政治家としてのミッション放棄にすぎない。そして度重なる借金で国の衰退を確実に加速させている。

世界を俯瞰してみれば、軍事超大国として君臨したいアメリカ、その地位を狙う中国、NATO拡大に恐れを抱くロシア、それらの脅威に備えようと軍備増強する周辺諸国などと、さまざまな思惑が錯綜しているが、その行動の全てが人類滅亡に向けて人類の終末時計を加速させている。

これを阻止できそうな唯一の国際機関は国連だが、かつてのアメリカのトランプ大統領の行動（拠出金削減）を見てもわかるように、国連はその構成員である大国の支援がなければ戦争すら止めることができない。インターネットで世界中の人が繋がる時代に極めて脆弱な世界機関しか存在しないのが事実である。このままではSF映画同様、いったん人類は滅んでから、人権もクソもない強力な統制国家が発生するだろう。人類が少数でも生き残るために。

**この事態のブレークスルーとして、いくつかのオプションが考えられる。ひとつは軍事的**

にも経済的にも最強国であるアメリカを中心に新しい国家を建設すること。将来このままだと51番目の州としてニッポンの名前が上がるかもしれない。台湾やオーストラリア、ニュージーランド、シンガポール等も候補になるだろう。これならば中国も周辺国に手出しできないし、絶対にアメリカの軍事力を超えることはできないので世界平和はある程度約束される。ただしアメリカは言語、文化の面で拒絶反応を示すだろうし、太平洋周辺国がアメリカの傘下に入るか否かを決める投票をしても、現実的には達成不可能だろう。アメリカが世界を飲み込むことは世界の貧困や異文化をも取り込むことになり、とてもアメリカ側はこれを受け入れることはできないだろう。

次のオプションとしては、国連に代わる新たな国境を超えた軍事国家群を設立することである。NATOの拡大版である。今もクアッド（日米豪印戦略対話）のような緩い繋がりはあるが、これを一気にNATOレベルに引き上げ、独裁国包囲網を作り上げる。これは今回のロシアのウクライナ侵攻を見れば、比較的成立しやすいオプションだろう。ただしやり方次第では、独裁国家群vs民主主義先進国家群の緊張を加速させることになり、第三次世界大戦の引き金にもなりかねない。また国連の形骸化がますます加速し、世界の二極化が進む恐れがある。

私が今時点でもっとも現実的と考えるオプションは「国連機能の強化」である。残念ながら、今の国連は常任理事国の一国でも反対すれば何も決められない機能不全に陥っている組織である。これが半独裁国のロシアや中国には極めて都合の良い状況を作り出している。ロシアが明らかなウクライナ侵略を実施しても、国連として抗議はできても戦争を止めることはできない。また、最大の資金提供者のアメリカの意向も無視できない。そもそも国連本部はニューヨークにある。

新たな国際協調組織を作るより、今の国連が世界平和への現実的な実行力を持てば理論的には今よりはるかに安定した軍事的安定を得られる。各国が好きなように核兵器を開発、保有し、地球規模の脅威は年々増すばかりである。台湾有事のリスクから韓国でも核武装の機運が高まっている。平和ボケしたニッポンも他人事では済まされない。

では国連機能強化には何が必要か？ まずは国連憲章第27条「手続事項に関する安全保障

理事会の決定は、9理事国の賛成投票によって行われる」すなわち1カ国でも反対票を投じれば物事が決められない現状を改正し、多数決、たとえば「5常任理事国（現米国、フランス、英国、ロシア、中国）、および10非常任理事国合計の5分の4の賛成があれば成立する」等の民主的な手法を導入すべきだろう。そのためには常任理事国と非常任理事国の選定基準の見直しが必要だろう。今回のウクライナ戦争を受けて、ロシアが今の常任理事国にとどまれるかどうか、極めて疑問である。国連の常任・非常任理事国を見直す良い機会になるかもしれない。

次に国連に実質的な力を持たせ、独裁国家や半独裁国家が勝手に戦争を起こしたり、核武装するのを抑止できるようにすることだろう。「実質的な力」とは何か？ 残念ながら軍隊であり兵器である。本来、世界平和のために存在すべき国連ではあるが、愚かな人類はインターネットで誰もが世界中で繋がる時代になりながらもいまだに武器を捨てず、核兵器を作り続けている。これを抑止するには今、人類の叡智を集め世界を俯瞰して平和を具現化できる唯一の組織「国連」に抑止力＝軍隊を持たせるしか方法はなさそうである。誤解のないように、あくまでも私は平和主義者だ。基本世界平和の象徴である国連に常備軍を持たせることには違和感を感じるが、このまま第三次世界大戦に向かう人類を止めるにはこれしか方法がないように思える。天国にいるインド独立の父、マハトマ・ガンジー氏には極めて申し訳ないが、人類はいまだに野蛮で愚かな動物なのである。金のために兵器を造り続ける武器商人、その武器商人のロビー活動で戦争を容認する政治家、自分の権力を武力で維持したい独裁・半独裁国家の首脳たち。彼らは「国家」というもはや旧時代の線引きのために人類を滅ぼうとしている。ガンジー氏の「非暴力・不服従」はインターネット時代の今こそ貫かれるべき信念である。ただ、そのインドとパキスタンとの間でも核兵器が使われる可能性もあるのが現実である。

では、戦力も資金も各国任せの国連が本当に実力を保つためにはどうすれば良いであろうか？ 荒唐無稽な話に聞こえるかもしれないが、常任理事国、非常任理事国から戦力を譲渡するのである。全ての戦力を提供するのはハードルが高いので、まずは各国の50%の戦力をその国に駐在させつつも、国連の指揮・命令下に置く。その国連軍の維持・運営に必要な資金は各国が負担する。ニッポンで言えば、陸上自衛隊、海上自衛隊の戦力の半分を国連軍に差し出すのである。「ニッポンに常駐したまま」である。どの部隊をどう配分するか大いに

**揉めるだろうが、少なくともそれで「国連軍」がニッポンに常駐していることになるのである。隣国もおいそれとはニッポンに核兵器を使うことはできなくなるだろう。**

ニッポンとしてアメリカや同じ価値観を有する民主主義国家との軍事同盟は極めて重要ではあるが、このままではトッド氏が言うように、世界は第三次世界大戦に突入する。民主主義国と独裁・半独裁国家群との対立はもはやそこまで来ているのである。ウクライナ戦争はその序章と言っても過言ではない。**この人類滅亡の流れを止めるために必要なのは、国連の強化と核兵器を国連の指揮下に置くことだろう。そのためには常任理事国、非常任理事国が戦力の50%を国連に委ねることである。誰を各国の指揮官に任命するかは国連が決めるべきである。こうすれば独裁国、半独裁国もおいそれとは隣国を攻めることはできなくなると信じる。隣国を攻めることは「国連軍」を相手に戦うことになるのだから。**

アメリカや中国といった大国は当然、この提案に難色を示すだろうが、それ以外の国にとっては核兵器の脅威から解放され、将来の平和が約束されるのである。インターネットの登場で世界がひとつになりつつある今、地球をこれ以上破壊しないために人類がとり得る最善の策ではないかと私は思う。ただ、誰かがこれを主張し、具体的に始めないとこのモーメンタムは加速しない。第二次世界大戦でアジア各国を侵略し、結果核兵器による唯一の被爆国となったニッポンがその先鞭をつけ、世界平和に貢献すべきではないだろうか?あくまで私の提案に過ぎないが、このまま血税を使い、戦力を今の2倍にし、人類を滅ぼしかねない世界戦争に加担するよりは遥かに現実的な提案だと考える。今の思考停止状態のニッポンの政治家には期待できないが、これからニッポンを担う若者たちにはぜひこの提言を真摯に考え、行動に移してほしい。もちろん我々大人もそのために何ができるのかを真摯に考え、行動して行かなければならない。

ニッポンを守るのはニッポン国民自身である。それは武器を手に取って戦うことではなく、侵略戦争や核兵器の使用を平和的に回避させることである。ニッポンは今、国を新しいビジネスモデルで豊かにし、国際平和のリーダーシップを取るべきである。子どもや孫たちが豊かな生活と平和を享受できるようにニッポンを、そして世界を変えていくのが我々ニッポンの大人たちの使命である。

COLUMN

シンガポール事情

## ドンドンドンキーは強い味方！

ニッポンにいた頃、さほどドン・キホーテには縁がなかった私だが、シンガポールでは非常にお世話になっている。こちらでは「ドンドンドンキー」と呼ばれ、店内に流れる軽快な「ドン・ドン・ドン・ドンキー♪」というミュージックのフレーズがすでに脳にこびりついて離れない。海外にいながらニッポンのグッズや食品が比較的安価で手に入るのがとても嬉しい。シンガポーリアンにも非常に人気である。私は日本食材はもちろん、たこ焼きやコロッケでいつもお世話になっている。あるMRTの駅にある店舗では、ショップだけでなく居酒屋や日本料理フードコーナーが併設されており、さながら「日本文化センター」の様相である。いつも若者や家族連れで賑わっていて、人気の高さがうかがえる。シンガポールは小さな国なので食料や水、エネルギー等も海外から輸入しており、ニッポンの料理、食材、製品、そして文化は人気が高い。なんでも「NIPPON」と入れると良いイメージがあるようで、少々オリジンが怪しい店も多々ある。ただ最近、若者文化ではK-POPの躍進が目覚ましい。彼ら、彼女たちが英語で唄ったり、情報発信することもその躍進の一因だろう。ジャニーズ問題で揺れるニッポンのエンターテインメントもぜひ頑張ってほしい。

## ［四の策］　世界は大規模な食料難に（めざせ、食料自給率100％）

農林水産省によると、2022年のカロリーベースによるニッポンの食料自給率はなんと38％しかない。なぜここまでニッポンの食料自給率が落ちてしまったのか？ ニッポン人が主食の米を食べなくなった、また国内で取れる魚より海外からの肉を食べるようになった等々、国民の食に対する嗜好が変わったとの理由が挙げられる。もちろんそれもあるだろうが、本質は国の農業政策にあると考える。

以前、北海道の酪農家が生乳を廃棄しているというニュースが流れていた。極めてもったいない話である。円安で飼料の元であるトウモロコシの価格も上昇し、廃業に追い込まれる酪農家が少なくない。ではなぜ、生乳を廃棄しなければならないのか？ 2014年にバター不足から国は生乳製品の生産を後押しした。結果、生産は増えたものの、コロナ禍によって需要が激減し、供給過剰となって生乳の廃棄という事態に陥っているのだ。

一方で日本政府は年間生乳13・7万トンに当たるバターや脱脂粉乳の輸入を最低限の義務と

[図5] 人類誕生から2050年までの世界人口の推移(推計値)グラフ

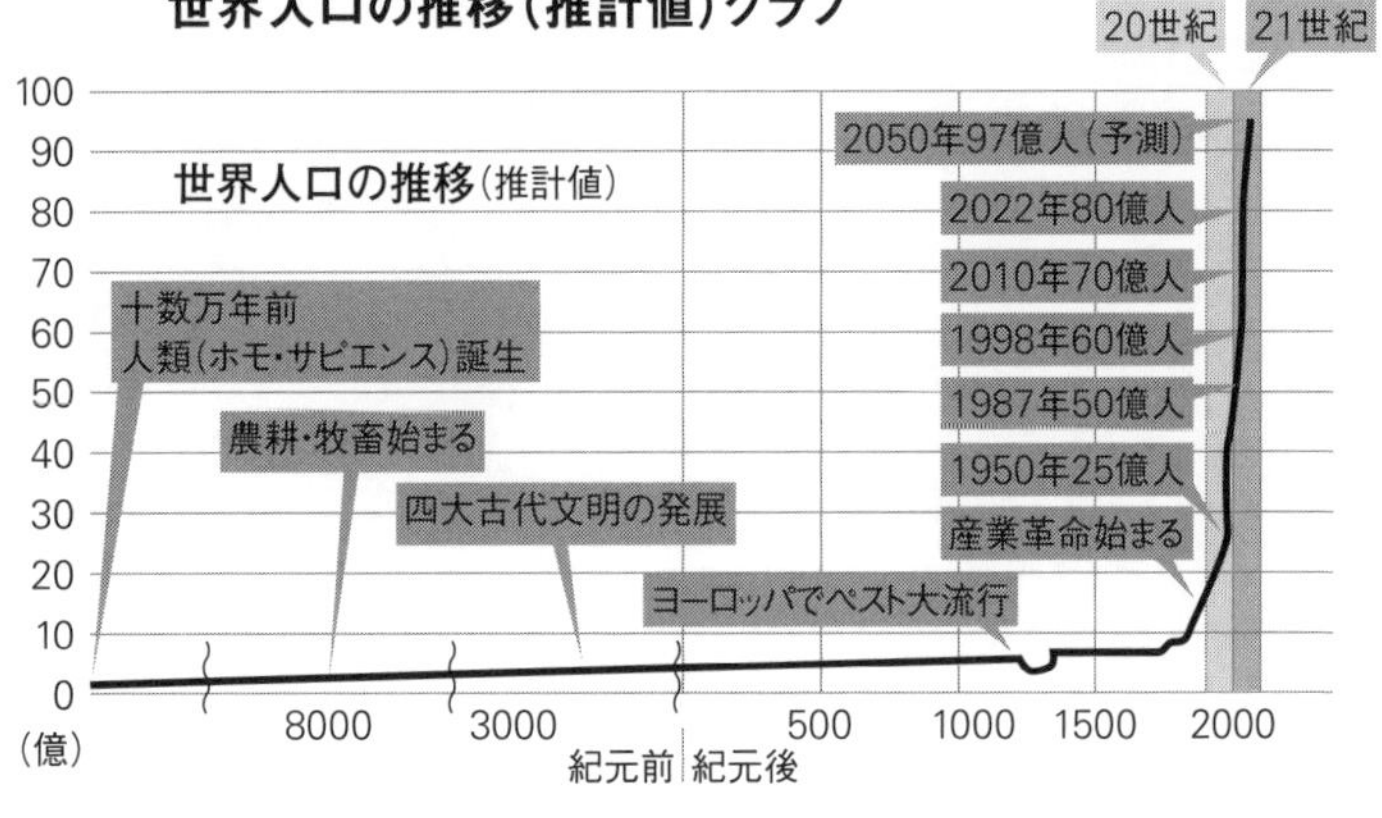


している。なぜわざわざ円安で高い乳製品を海外から買って、国内の生乳を廃棄するのか？ ニッポンの酪農を破壊しているとしか思えない。まず骨太の農業・酪農政策を打ち出し、食料の国内自給率をまずこの10年で50％、将来100％に引き上げるビジョンと政策、マイルストーンを提示すべきである。

現在、80億人を超える世界人口が、インドやアフリカの人口増で2050年には100億人近くまで増加すると言われている。一方で人類の歴史的な環境破壊で異常気象による干ばつ、洪水、台風やハリケーンの被害が急増している。ニッポンが食料を自給することの重要性はかつてないほどに高まっている。ニッポンを取り巻く安全保障上の理由からも同様のことが言える。食の安全に関しても同じである。

**[図6] 日本と諸外国の食料自給率**　　出典：農林水産省

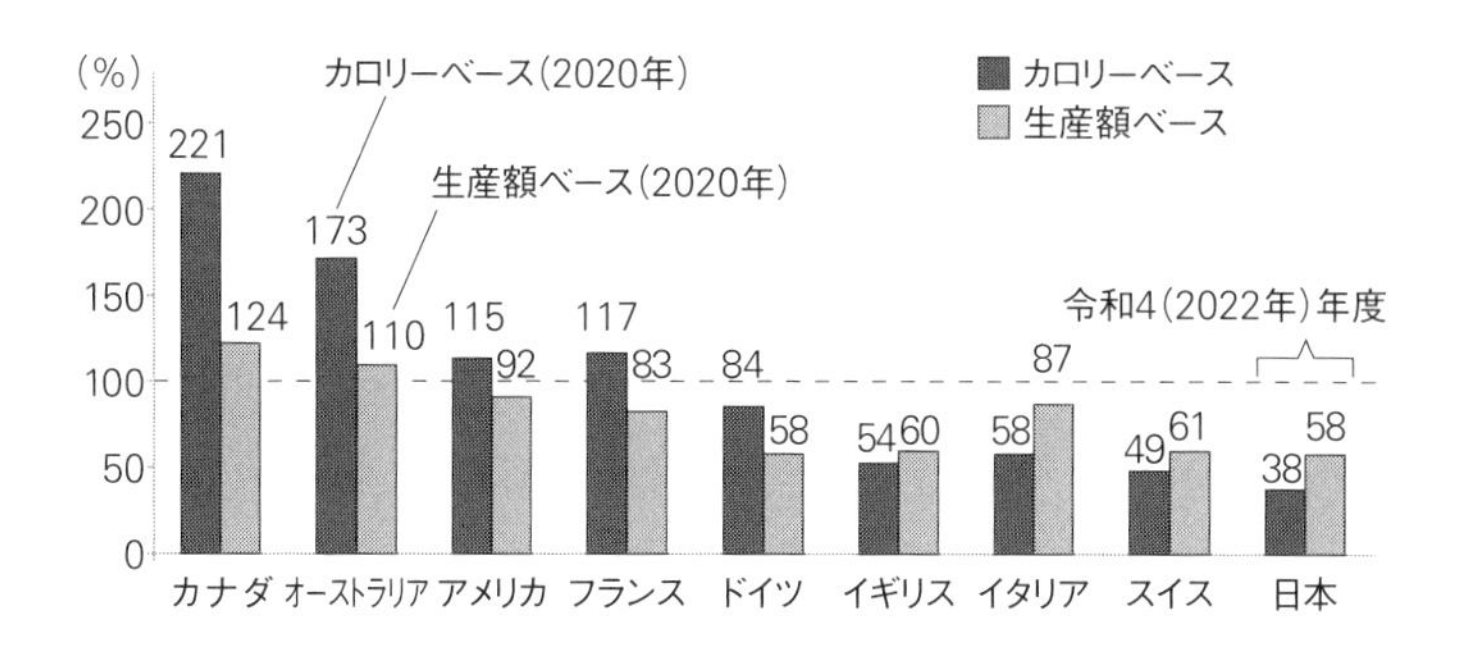


ニッポンにいる頃、私がよく購入していた九州産のアサリが外国産の偽装と知って愕然とした。偽装工作をした輸入業者は絶対に許せない。ただこうやって公に、また密かに海外の食料がニッポンに入っているが、その食品の残留農薬や遺伝子組み換え食品の安全性はちゃんと検証されているのであろうか？ニッポンで作られた安全な食品を子どもや将来を担う若者に食べさせてあげたいと思うのは私だけだろうか？

ここで塩について一言述べたい。今ニッポンの塩の9割程度は精製塩、いわゆる食塩、食卓塩である。これは海水の塩化ナトリウムを電気分解したもので非常に安価にできるので世界中で普及している。ニッポンは過去にタバコ同様、専売公社事業で精製塩を販売していた過去があり、この精製塩がメジャーだ。しかし精製塩には人間の体に重要なミネラル、特にマグネシウムなどの栄養素が含まれていない。いろいろな見わけ方があるようだが、舌に載せて塩辛さと同時に苦味を感じれば精製塩、塩辛さのなかにほんのり甘さを感じれば自然塩だ。このほんのりした甘さがあることから、昔は塩を舐めて酒のお供にしていたらしい。塩化ナトリウムとミネラルをバランスよく摂ることで、高血圧の予防になると言われている。塩分は高血圧のもとと思われがちだが、自然塩に含まれるカリウムはナトリウムを体外に出す働きをするので、塩分が高血圧のもととの考えは精製塩に当てはまるのだろう。最近は健康志向ブームで自然塩の需要も高まっていて、自然塩の商品もいろいろと出回っている。正しい塩分の摂り方は体調を正常に保つためにも重要である。一方で海洋マイクロプラスティックの問題も指摘されているが。

では、なぜ我々は知らないうちに精製塩を摂取し続けてきたのか？ひとつには１９０５年に日露戦争の戦費調達のために政府による食塩の専売制（のちの日本専売公社）の影響があるだろう。１９９７年に廃止、原則自由競争になっている。この知らず知らずに摂っていた電気分解の塩がどのような影響を人体や脳に及ぼしていたのか（または及ぼしていないのか）知りたいところである。ニッポン人を悩ませる花粉症も同様だ。第二次世界大戦後、森林資源を回復させるためブナやナラといった広葉樹より成長の早い、加工しやすい杉やヒノキを大量に植林したため、我々ニッポン人は花粉症に悩むことになった。

今、世界中で食の安全が問われている。ニッポンでも生産者のルートを辿ってチェックしてくれる生協や食の安全を守る活動を続けてくれている人々がたくさんいる。一方でゲノム編集食品、偽装食品、農薬漬け食品等が出回っているのも事実だ。**我々は子どもや孫の世代のために安全な食を提供する義務があり、そのためにも安心な食材を確保することが重要であり、ニッポンの食料自給率１００％を目指すべきである。ニッポンの里山が荒れ、熊やイノシシの害獣被害が増えて久しいが、安価だが食の安全が守れない食品を大量に輸入するくらいなら、林業に力を入れ里山を復活させ、ニッポンの農業や酪農も支援して若者の雇用を増やすべきであろう。東京一極集中の流れを地方再生に逆流させるべきである。また、各地の観光地も活性化させ、インバウンド集客による地方の強みを活かし、収益性を上げていくことがニッポンの未来にとって大切な施策であろう。**

余談だが、私はシンガポールですでに4回コロナワクチンを接種している。コロナ禍がほぼ終息した今になって、ニッポンでもワクチンの薬害被害がクローズアップされている。人類はこれまでなかったメッセンジャーRNAワクチン等を大量に接種したが、これら自然界にはないワクチンの存在により、より新型コロナウイルス感染症の症状が重篤化、感染が長期化したのではないかとも言われている。医者によっては公には言わないが、ワクチンを打たない方が良いと漏らしている人もいるらしい。実際にワクチン接種後に亡くなった方も多い。食の安全も同様だが、我々は自らのチェック機能で子どもや孫の安全を図っていく時代に突入している。政府や政治家、いわゆる「お上任せ」では残念ながら生きていけない時代なのである。話が逸れたが、ニッポンの子どもたちが将来、食料不足で飢えることのないよう、今から食料自給率を上げる施策こそが急務である。

## ［五の策］　小手先のエネルギー政策は国を滅ぼす（自然エネルギー政策推進に向けて）

最近、シンガポールの私の勤める会社の電力をソーラーパワー（太陽光発電）に切り替える契約に調印した。毎月の定額料金で、施設の設置は業者負担である。ロシアのウクライナ侵攻以来、天然ガスや石油の価格が高騰し、資源をほとんど持たないシンガポールの電気代はウナギ登りなので思い切った。なんとシンガポールは野菜や鶏肉だけでなく、水もマレーシアから購入している。天然ガスもインドネシアやマレーシアからパイプラインで調達している。最近は海水や淡水から飲料水を作る事業を国家プロジェクトとして推し進めている。シンガポールは水資源が乏しいため、雨水を貯める貯水地も多いが、今その貯水池に大量の太陽光パネルを設置し、電力の安定供給を図っている。ちなみに会社の近所の貯水池には野生のカワウソが住んでいて、たまにファミリーで日向ぼっこしていてとても癒される。ニッポンで見られる原子炉の安全性を示す放射能放出レベル表示のパネルとは大きな違いである。あのようなパネルは一般市民の不安を逆に煽る。

シンガポールが国家プロジェクトとして自然エネルギーに向き合っているのに対し、ニッポンのエネルギー施策はどうなっているのだろうか？２０１１年、東日本大震災が引き起こした福島原発事故後の反省から新規の原子力発電所の建設を凍結、既存の原発も安全性を確認できるまでは運転停止していた。しかし昨今ではウクライナ戦争を背景とした化石燃料の価格高騰を理由に、原発依存型の政策に転換しようとしている。新規の原発建設、活断層上にある原発の再稼働も検討を開始しているようである。エネルギーの専門家ではないが、ニッポンは海に囲まれ、風力発電も可能だろうし、縦に長い国土であるため、だいたいニッポンのどこかは晴れており、太陽光発電も有望で、川も多いので水力発電も可能、また活火山も多いので地熱発電も可能だろう。ニッポンは自然エネルギーの宝庫だと思う。

では、なぜニッポンはこれらの自然エネルギーの活用を計画的に進めないのか？映画『Fukushima50』でわかるように、人間はまだ原子力を自分たちで制御できない。吉田所長の無念を我々ニッポン人は決して忘れてはならないのである。また、核のゴミの放射能が天然のウラン並みの放射能に戻るには10万年はかかると言われている。たとえ地下に埋めても地震や噴火で地上に出てくるかもしれず、家の地下に爆弾を抱えて我々ニッポン人は生活しなければならないのである。

２０２２年10月時点で各電力会社の建設中の原子炉は東京電力、中国電力など3基、建設計画中のものは6基もある。いずれも発電開始時期は未定だが、これらの建設に向けて各電力会社、大手ゼネコン、その下請け等々が政府になんらかの働きかけをしているであろうことは想像に難くない。ただいい加減、目先の利益や場当たり的なエネルギー対策ではなく、国家百年の計に沿った自然エネルギー政策を打ち出してほしい。国債という名の「借金」や小手先の少子高齢化対策、またこのエネルギー施策も含め、決して我々ニッポン人の子孫に負の遺産を負わせてはいけないのである。場当たり的なエネルギー施策は国を滅ぼすもとである。

１００％再生可能エネルギーによる発電が実現するまでまでは原子力に頼るしかないのが現実だと思うが、いつまでに原子炉を廃炉にするのか、きちんと計画を立て、マイルストーンを明確にしていくことが今のニッポンの政治家の義務であり、国民もその監視を怠ってはいけないのである。まさに一般企業の中期計画の策定、マイルストーン設定、チェック機能を今の政治家や官僚はしっかり学んでほしい。国民も私利私欲、党利党略に邁進する政治家に投票するのをやめ、国の行く末を考え、国家ビジョンを示し、国家百年の計を策定できる

## [図7] 日本の原子力発電炉(建設中、計画中、2022年10月時点)

### 建設中

| 会社名 | 発電炉名 | 炉型 | 出力 Mwe | 着工(工認) | 運転開始 | 新基準への審査申請 |
|---|---|---|---|---|---|---|
| 電源開発 | 大間 * | ABWR | 1,383 | 2008.5 | 未定 | 2014.12.16 |
| 東京電力 | 東通 1 | ABWR | 1,385 | 2011.1 | 未定 | |
| 中国電力 | 島根 3 | ABWR | 1,373 | 2005.12 | 未定 | 2018.8.10 |
| 小計 | 3 基 | | 4,141 | | | |

○大間の安全対策工事開始は 2024 年後半、工事完了は 2029 年後半を予定。島根 3 の安全対策工事完了時期は未定　*印: 旧基準での MOX 許可取得

### 計画中

| 会社名 | 発電炉名 | 炉型 | 出力 Mwe | 着工(工認) | 運転開始 |
|---|---|---|---|---|---|
| 日本原電 | 敦賀3 | APWR | 1,538 | 未定 | 未定 |
| | 敦賀4 | APWR | 1,538 | 未定 | 未定 |
| 東北電力 | 東通2 | ABWR | 1,385 | 未定 | 未定 |
| 中国電力 | 上関1 | ABWR | 1,373 | 未定 | 未定 |
| | 上関2 | ABWR | 1,373 | 未定 | 未定 |
| 九州電力 | 川内3 | APWR | 1,590 | 未定 | 未定 |
| 小計 | 6基 | | 8,797 | | |

○各社の経営計画・電源開発計画等に掲載されている発電炉名のみ記載　○この他に中部電力浜岡6、東京電力東通2が計画中(経営計画・電源開発計画等に掲載なし)

(一社)日本原子力産業協会

ような器の大きい政治家を見極め、また若者からこのような政治家が誕生することを支援していかなければならない。ニッポンをこれ以上、自分では何も決められない「駄目な国」、以前は経済発展していた「残念な大国」にしないように。

## ［六の策］　少子化対策は海外を見習え（人口増加への大転換）

ニッポンの少子化が止まらない。なぜか？　政府の場当たり的な子育て支援、異常に高い教育費、本来不要なはずの塾や予備校の存在、女性の社会進出の遅れ、共働きのためのインフラ整備の欠如、近年の保育園の幼児虐待（信じられないことだが）等々、理由の枚挙にいと間がない。ただ、海外にいて一番に思うことは、ニッポン人がニッポンの将来に希望を持てない、夢や希望を見出せないことが最大の理由であるということだ。

それはそうだろう。国や社会の将来が明るくないのに無責任に子どもを多く産み、育てる自信が皆持てないのである。これは決して責めるべきことではない。これまでのニッポンの政治家の多くが世襲化、サラリーマン化し、私利私欲、党利党略に邁進し、国民生活を顧みなかった結果である。経済も大企業優遇で、その大企業は内部留保を増やすことに邁進し、社員の給料を上げず、結果、景気はいつまでたっても上向かない。日銀も約束した2％の物価上昇が達成できないため、中央銀行の禁じ手であるはずの長期金利操作を行い、国債を無尽蔵に買い支え、国の借金が世界一になってしまった。本来、景気を上げるはずのアベノミクスがニッポンの儲ける力を逆に削いでしまった。このような凋落する一方の借金大国、政治家が国民を顧みない将来の見えない国で子育てを何の不安もなくできるわけがない。少子化対策のもっとも有効な処方せんは「国を富ます」こと、「将来の国家ビジョンを提示する」ことである。

では海外はどうだろうか？ まず私が今いるシンガポールは、出生率はニッポンと同じく低い。最近1・1を切って大きな社会問題になっている。原因としては、女性の社会進出が進んで夫婦の約9割が共働きとなっており、子育てに十分な時間が割けないということがある。また、国土が狭いため、皆、公営住宅のＨＤＢ（Housing & Development Board）に住んでおり、大家族になると手狭になってしまうというのも理由のひとつだろう。１９６０年から政府主導で始まったＨＤＢだが、現在は国民の8割程度が居住しており、残りはコンドミニアム（私のような外国人駐在員がよく住んでいる）、サービスアパートメント、そして大金持ちたちが住む一軒家がある。ちなみに多くの一軒家には、日本式庭園の池があり鯉が泳いでいる。もちろんプール付きが多い。先日、知り合いの家にお邪魔したら鯉の泳ぐ池が2つあり、プールも水深2㍍、家のなかには博物館のように仏像や工芸品が飾ってあった。

コンドミニアムは為替にもよるが、一昔前は50〜80平方メートル程度で5000〜7000万円（最近は中国人の金持ちがシンガポールの不動産を買い漁っていて1億円を軽く超える）、HDBは2〜3000万円といったところで非常に安価である。私の知人は政府支援のHDBを保有しつつ、コンドミニアムも2件保有している。彼はシンガポール国立大を出ており、ベンツに乗り、まさに映画『クレイジー・リッチ』で見られるような成功を収めている。オーストラリアと中国に農園も持っているらしい。

シンガポールではCPFと呼ばれる中央積立基金（Central Provident Fund）が義務化されており、これによりHDBのような住宅購入や年金の積立て等も給与から自動で行われるため、シンガポーリアンは老後の心配がない。もちろん健康面やひとり暮らしの不安はあるが、少なくともニッポン人のような老後の年金の心配や住む場所の不安は少ない。

シンガポール女性の社会進出も目覚ましい。夫婦の約9割が共働きなので、家庭生活を支えるインフラとして外国人労働者の存在も見逃せない。多くのフィリピン人が子守や家政婦として出稼ぎ労働に来ており、シンガポール女性の育児や家事の代役を担っている。また、工事現場のような力仕事ではマレーシアからの労働者が多く働いている。かつて住んでいたフランスも同様で、スペイン人やポルトガル人の子守がいて、肉体労働はアフリカからの出稼ぎや移民が多く従事していた。ニッポンもいい加減、外国人労働者への門戸をもっと解放しないと、女性進出もままならない。

女性進出を支えるインフラとして私が注目するのは「ホーカー」(Hawker)、いわゆる大衆食堂、露天大衆食堂である。だいたいどこも大きな集合住宅(HDB)には併設されており、シンガポール全土で110以上あると言われている。私もよく利用するが、普通のレストランでは10シンガポールドル(約1100円)程度する食事が、ホーカーなら4~6ドル(約440~600円)程度で食べられる。持ち帰り(Take away)も可能で、共働きの夫婦や家族がよく購入している。さすがシンガポールで衛生基準等もしっかりしており、ABCにランクわけされている。私はもっぱらAランクの店を選んでいる。惣菜だけでなく、ライスやヌードルも買えるので家庭で調理する必要がない。シンガポールへお越しの際はぜひこのホーカーを試されることをお薦めする。ラクサやチキンライスといったシンガポール料理は無論のこと、マレーシアやタイ、インドネシア料理等も楽しめる。

このシンガポールのインフラと並んで私が素晴らしいと感じるのはフランスの教育制度だ。

シンガポールの公営住宅

ニッポンでは「1足す1は2」と教える。フランスでは「何と何を足すと2になりますか?」と尋ねる。単純な話だが、根本的に考える力が変わってくる。また、自分の意見を主張できる素地が育っていく教育である。塾や予備校に大金を積んで子どもたちに受験テクニックを学ばせ、良い大学に入学させようと高い私立の進学校に通わせるニッポンの親は本当に可哀想である。結果、ニッポンの子どもたちは詰め込み教育で考える力や独自発想を育てる機会を失いかねない。今のニッポンの政治家が「国家戦略」を自ら策定できないことに通じているのかもしれない。

フランスでは基本、国公立の教育機関は無

料である。公立のインターナショナルスクールまで存在する。勉強するのは国民の権利であり、その権利を行使するのに大金を払わなければならないニッポンの教育は根本的に間違っていると思う。最近、ニッポンの大学は国公立でさえ授業料が非常に高くなっている。高い教育費を使って受験用の詰め込み教育で育った子どもたちが大人になってどうなるのか想像してほしい。日本人が海外の企業でリーダーシップを取れない要因のひとつであり、最近ニッポンの企業では海外駐在を嫌がる社員も増えているそうだ。いつの間にか一流大学や一流企業に入ることが人生の目的になっている子どもたちが多いのではないか。もしそうならば極めて不幸な話である。本当の社会人人生はそこから始まるのである。

今、ニッポンが経済を活性化させ、再び世界のリーダーとなるためには、この少子化を転換させ、女性の真の社会進出を促すためのインフラを整備することが必要である。10万円、20万円とその場限りの短絡的なバラマキ支援を続け、国債という借金を増やすのではなく、もっと抜本的なインフラ整備を行い、政策を転換せねばならない。見本は世界中に転がっている。いったい世界各国に散らばっている外交官たちは何をしているのだろうか？ 税金を使って海外視察に行っている政治家たちも然りである。

シンガポール名物ともいえる屋台、「ホーカー」のにぎわい

以前、フランスで知り合いの企業の社長がある外交官の向かいのアパルトモンに住んでいた。窓から見ると外交官の家は毎晩パーティや食事会で楽しそうだった。ある日、その知り合いの奥さんが向かいの外交官の奥さんに「毎晩お忙しそうですね」と話したら、翌日からカーテンがかかって一切なかが見えなくなったそうである。国民の税金はニッポンを富ますことに使ってほしい。

いずれにせよ、今のニッポン国民、サラリーマン、サラリーウーマンたち、自営業の皆さんの血税が、政治家たちの私利私欲、党利党略、また官僚による省庁の都合により浪費され、国は疲弊し子どもたちはニッポンの未来に希望を持てなくなっている。口先だけの小出しの少子化対策ではなく、国家戦略とそれに沿った具体的な政策を持って少子化を転換すべき時に来ている。政治家は裏金作りで私腹を肥やし、事務所の会計責任者や亡くなった安倍元首相や細田前衆議院議長に責任を押し付けている場合ではないのである。シンガポールやフランスといった外国を大いに見習ってほしい。なぜいじめやそれに伴う不登校が増え、教師が誇りを失い疲弊し、中校生の自殺者が増えるのか？学校は本来どうあるべきなのか？子どもは本来「国の宝」なのだが、その宝を持ち腐れにしてしまっているのは我々大人の責任なのではないのだろうか？

## シンガポールには正月が４回ある!?

多民族国家であるシンガポールでは、なんとお正月が4回もある。ざっくり言って西暦の1月1日、チャイニーズ・ニューイヤー（いわゆる旧正月）、ヒンドゥー教の闇（悪）に勝つ光（善）のお祭り〝ディーパバリ〟、イスラム教のメッカ巡礼祭の〝ハリ・ラヤ・ハジ〟。それぞれの文化、風習をリスペクトして発展するシンガポールは経済だけでなく、文化的にも先進国である。近い将来、世界がつまらない国境争いや民族間の争いをやめ、インターネットや航空網の整備でひとつの地球規模国家になるならば（そうでなければ核戦争で人類は滅びかねない）、シンガポールがひとつのお手本になることは間違いない。多民族が安全な環境で安心して暮らし、発展する未来を信じ、仲良く豊かな生活を享受している。私は若い頃、アメリカを多民族国家の理想としていたが、残念ながら有色人種への差別や銃による悲惨な事件が後を絶たない。シンガポールで驚いたことは、夜でも若い欧米人女性がジョギングをしていることである。アメリカはもちろん、ヨーロッパでも夜の女性ひとりのジョギングは危険を伴う。シンガポールがいかに安全かの証左であろう。ジーンズのお尻ポケットに財布や携帯を入れている若者も多い。他の国では「取ってください」と言っているようなものである。「規制が多い」「国家権力が強すぎる」とシンガポーリアンは皆文句を言うが、相対的に国家が豊かになり、生活水準が上がっているので多くの国民は満足しているようである。年々、貧しくなる一方のニッポン人とは大きな違いだ。

## ［七の策］　英語は難しくない（英語を第2公用語に）

2022年8月、自然科学系の学術論文のうち、注目度が高い上位1％の論文数で中国が米国を抜き世界1位になったことが、文部科学省科学技術・学術政策研究所の報告で明らかになり、2023年もつづけて首位を守っている。そして2位はアメリカ、3位はイギリスであり、日本は12位。かつてジャパン・アズ・ナンバーワンとまで言われ、世界の製造業をリードした日本だが、情報通信技術や電気工学分野のシェアが縮小している。なぜなのだろうか？

2023年のスイスの教育機関の調査によると、英語を母国語としない112カ国のうち日本の英語力は87位、中国や韓国より下だ。ちなみにシンガポールはオランダに次いで2位である。

フランスに住んでいた頃、毎月のように仕事でアムステルダムに出張していて感心したことがある。ホテルでTVを見ていると英語、ドイツ語、フランス語等のチャンネルが多く、

## [図8] 科学研究のベンチマーキング2023
## 注目度の高いトップ1%論文数（分数カウント法）

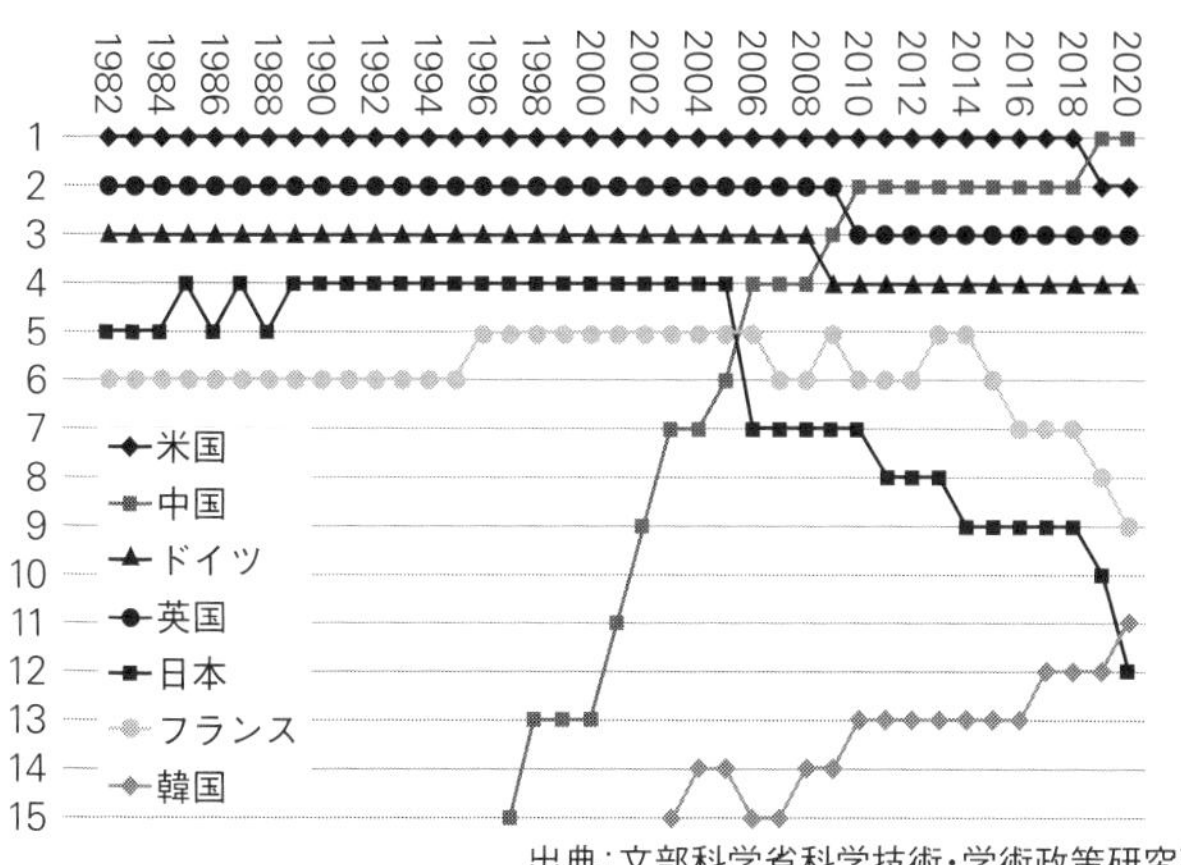


出典：文部科学省科学技術・学術政策研究所

日本語もＮＨＫ衛星放送を放映していた。オランダのように歴史的に大国に囲まれ、資源も農地も乏しい国は周りの大国との協調外交が生き残りのために欠かせない。その点、島国のニッポンにはその国際感覚が極めて希薄だ。

　私はシンガポールを拠点にしているので、タイやベトナム、インド等へよく出張するが、以前はホテルのＴＶチャンネルのチョイスではＮＨＫ系の衛星放送や国際放送が上位に来ていた。今のニッポンの国力を反映しているのだと思うが、最近はＮＨＫが中国系やアラブ系の放送より下位番号のチャンネル設定となっていることが多い。しかもＮＨＫだが英

（英語を母国語としない国と地域のみを対象とした調査）

| 順位 | 国名 | スコア |
|---|---|---|
| 低い英語能力 | | |
| 64 | パキスタン | 497 |
| 65 | レバノン | 496 |
| 66 | トルコ | 493 |
| 67 | スリランカ | 491 |
| 67 | タンザニア | 491 |
| 69 | エチオピア | 490 |
| 70 | ブラジル | 487 |
| 71 | パナマ | 486 |
| 71 | アラブ首長国連邦 | 486 |
| 73 | モンゴル | 482 |
| 73 | カタール | 482 |
| 75 | コロンビア | 480 |
| 76 | モロッコ | 478 |
| 77 | アルジェリア | 475 |
| 78 | マダガスカル | 474 |
| 79 | インドネシア | 473 |
| 80 | エクアドル | 467 |
| 80 | シリア | 467 |
| 82 | 中華人民共和国 | 464 |
| 83 | アゼルバイジャン | 463 |
| 83 | エジプト | 463 |
| 85 | クウェート | 461 |
| 86 | マラウイ | 460 |
| **87** | **日本** | **457** |
| 88 | アフガニスタン | 456 |
| 89 | メキシコ | 451 |
| 90 | キルギス共和国 | 450 |
| 90 | ミャンマー | 450 |

| 順位 | 国名 | スコア |
|---|---|---|
| 非常に低い英語能力 | | |
| 92 | パレスチナ | 445 |
| 93 | ウズベキスタン | 442 |
| 94 | カメルーン | 438 |
| 94 | セネガル | 438 |
| 96 | ヨルダン | 431 |
| 97 | スーダン | 430 |
| 98 | カンボジア | 421 |
| 98 | ハイチ | 421 |
| 100 | オマーン | 418 |
| 101 | アンゴラ | 416 |
| 101 | ベナン | 416 |
| 101 | タイ | 416 |
| 104 | カザフスタン | 415 |

### ［図9］ EF EPI 英語能力指数2023 国/地域別ランキング

| 順位 | 国名 | スコア |
|---|---|---|
| 非常に高い英語能力 | | |
| 1 | オランダ | 647 |
| 2 | シンガポール | 631 |
| 3 | オーストリア | 616 |
| 4 | デンマーク | 615 |
| 5 | ノルウェー | 614 |
| 6 | スウェーデン | 609 |
| 7 | ベルギー | 608 |
| 8 | ポルトガル | 607 |
| 9 | 南アフリカ | 605 |
| 10 | ドイツ | 604 |
| 11 | クロアチア | 603 |
| 12 | ギリシャ | 602 |
| 高い英語能力 | | |
| 13 | ポーランド | 598 |
| 14 | フィンランド | 597 |
| 15 | ルーマニア | 596 |
| 16 | ブルガリア | 589 |
| 17 | ハンガリー | 588 |
| 18 | スロバキア | 587 |
| 19 | ケニア | 584 |
| 20 | フィリピン | 578 |
| 21 | リトアニア | 576 |
| 22 | ルクセンブルク | 575 |
| 23 | エストニア | 570 |
| 24 | セルビア | 569 |
| 25 | マレーシア | 568 |
| 26 | チェコ共和国 | 565 |
| 27 | ナイジェリア | 562 |
| 28 | アルゼンチン | 560 |
| 29 | 香港特別行政区 | 558 |
| 30 | スイス | 553 |

| 順位 | 国名 | スコア |
|---|---|---|
| 標準的な英語能力 | | |
| 31 | ホンジュラス | 544 |
| 32 | ジョージア | 541 |
| 33 | ベラルーシ | 539 |
| 34 | ガーナ | 537 |
| 35 | イタリア | 535 |
| 35 | モルドバ | 535 |
| 35 | スペイン | 535 |
| 38 | コスタリカ | 534 |
| 39 | アルバニア | 533 |
| 39 | ウルグアイ | 533 |
| 41 | ボリビア | 532 |
| 41 | ロシア | 532 |
| 43 | キューバ | 531 |
| 43 | フランス | 531 |
| 45 | パラグアイ | 530 |
| 45 | ウクライナ | 530 |
| 47 | ウガンダ | 529 |
| 48 | アルメニア | 528 |
| 49 | 韓国 | 525 |
| 50 | エルサルバドル | 524 |
| 51 | ペルー | 521 |
| 52 | チリ | 518 |
| 53 | グアテマラ | 515 |
| 54 | イスラエル | 514 |
| 55 | ドミニカ共和国 | 512 |
| 56 | ベネズエラ | 508 |
| 57 | ネパール | 507 |
| 58 | イラン | 505 |
| 58 | ベトナム | 505 |
| 60 | バングラデシュ | 504 |
| 60 | インド | 504 |
| 62 | ニカラグア | 503 |
| 63 | チュニジア | 502 |

語だけのチャンネルの場合もある。ニッポン人のホテル利用者も減ってきているのかもしれない。長く海外駐在をしていると、こんなところからもニッポンの国際的な凋落を感じる。ニッポンのバブル崩壊やリーマンショックもあってか、邦銀の海外でのプレゼンスも心なしか落ちているように感じる。円がもっと安くなればますますこの傾向は顕著となるだろう。

2022年11〜12月、サッカーW杯のニュースをシンガポールのTVで見ていたら、韓国のサポーターの若者たちが次々と英語で流暢にコメントしていた。ニッポンの若者も英語を話せる人は多いだろうが、どちらかというと試験英語が中心で、自然なコミュニケーションという意味では世界では極めて遅れているのではないかと感じる。最近のニッポンの若い会社員が海外駐在を望まなくなってきたのも、安定した生活を求めると同時にコミュニケーションにも不安があるからではないだろうか?

一方、シンガポールはほぼ英語が通じる。〝シングリッシュ〟といって少し中国訛りのある英語だが、老いも若きも英語を話していて、MRT（地下鉄）の表示や看板もまず英語が来て、中国語、マレー語、ヒンディー語等が続く。仕事でも社内通達等は基本、英語である。

国民が英語を話せることがこの国の発展に大いに貢献しているのは間違いないだろう。企業の研究開発機関やアジア本社がシンガポールに数多くあるのはこのような背景によるところが大きい。コードレス掃除機で有名なダイソン社が本社を丸ごとイギリスからシンガポールに移したのは有名な話だ。

ある規模以上の企業に限られるが、アジア本社機能をシンガポールに置くことで、節税や外国人社員の滞在許可承認の簡略化等、さまざまな特典を得られることもこれに拍車をかけている。英語による国際化以外にもちゃんと政府や政治家がシンガポールの発展のために、いろいろな工夫をしていることがわかる。国会で居眠りしている与党議員を野党議員が責めたり、収支報告書の領収書の宛名がないと首相を糾弾したりしているニッポンの政治家とはえらい違いだ。ニッポンの国会議員は「税金泥棒」と言われても仕方ないだろう。コロナ施策や旧統一教会対策にしても「問題」や「事故」がひどくなってから国会で騒いでいる。もっとシンガポールのように「国家百年の計」に沿って将来への布石を打てないものだろうか？　このままではニッポンの国民はどんどん貧しくなっていくだろう。**世襲化、ある意味サラリーマン化した自分のことしか考えない政治家にこれ以上の期待は難しい。国際感覚と**

**豊かな経営経験を持つシニアと、ニッポンを良くしたいという希望に溢れる若者たちが協力して今の政治体制を変えて行くしかないと考える。**

以前、シンガポール保健省の大臣が新型コロナウイルス感染症をインフルエンザ並みの扱いにする旨、国民に向けて自分の言葉で話していた。官僚のカンペを見るわけでもなく、自分の言葉でしっかりとその背景と意義を国民に伝えていた。ニッポンでも2023年5月に5類相当に変更したが、どのような議論が政府内で実施されたのかが今ひとつわからない。首相にせよ大臣にせよいい加減、官僚の無駄遣いであるカンペを用意して答弁やスピーチをする悪弊をやめたらどうか? ただでさえわかりづらい答弁なのに、これが日本語から英語のような外国語に海外向けに訳されると、さらにニッポンが何を考えているのか国際社会からはさっぱりわからなくなる。国際社会から理解されないことは、ニッポンの国力の減衰にも直結する。今や国際政治や経済の世界はニッポンのようなガラパゴス国家であっては生きていけないのである。当たり前だが、政治家は言質を取られることを恐れず、自らの意思と言葉で政策を発信すべきである。

ニッポンが高度成長していた頃、外国人はこぞって日本語を学ぼうとしていた。今もアニメファンの外国人たちは日本語を学びたいと思っているが、それはビジネスのためではない。国際社会では英語は話せて当たり前、これにフランス語やドイツ語、スペイン語、また人によっては中国語やロシア語がビジネスで役立つ言語であろう。すでに失われた30年で衰退するニッポン人が再びビジネスの世界で輝き世界をリードするためには英語を話せるようにならないとまともな意思疎通ができないし、ビジネスで外国人をマネジメントすることなど到底叶わない。ニッポンの製造業衰退の一因でもあろう。

ニッポン人は真面目で勤勉である。その真面目さゆえ英語が苦手だ。私も言うほど上手くはないが、少なくとも18年余り海外でマネジメント業務に携わっている。ニッポン屈指の大学を出た優秀な若手社員をたくさん見てきたが、海外生活経験者を除いて皆一様に英語を喋るのは苦手である。真面目で勤勉であるが故に、「文法を間違えないようにしよう」とか「こういう時はどのような表現が一番良いのだろう」とか喋る前に考えてしまう。また、ニッポンの歪んだ入試制度が文法や暗記主体の英語教育を産んでしまった。いちいち「ここは過去形か過去分詞か」とか考えていたら何も会話が弾まない。

シンガポールでは、昔の人は英語教育しか受けていない人も多い。私の中国系シンガポーリアンの友人も70歳をとうに過ぎているので英語しか正式には習っていない。本人曰く、中国語は下手だとのこと。奥さんは1世代後なので、学校で英語と中国語を学んだそうである。見た目は中国系シンガポーリアンなのだが、2人で話す時も英語を使っている。不思議な光景である。一般的に多数を占める中国系シンガポーリアンは職場では他のマレー系、インド系にもわかるように英語で話しているが、自宅や中国系同士では中国語で話している。北京語が主体のようだが、先祖が福建省や広東省から来ているので福建語や広東語もわかるようである。

今のシンガポールの繁栄のベースに、この英語教育があるのは間違いない。前述の大手電機メーカーのダイソンがイギリスからシンガポールに本社ごと移転した話は有名だが、マイクロソフトなどもアジア本社はシンガポールである。金融もアジアの中心になっているし、ITにおいてもスマートネイション構想でアジアをリードしている。シンガポールに興味のある方はぜひ映画『クレイジー・リッチ』をご覧いただきたい。非常におもしろい恋愛映画だが、いかにシンガポールが短期間で経済発展したかが良くわかる（シンガポールの有名な観光地がたくさん出てきて、それだけでも見ていておもしろい）。

英語だけでなく、多言語を話す上で重要なのは記憶ではなく習慣であると私は思う。赤ちゃんが教えなくても言葉を喋れるのは、親や周りの人たちの動きや言葉をよく聞いて、見て、脳が自然に「こういう時にはこういえば良いのだな」と認識して言語中枢が発達するのではないかと思う。言語学者ではないのでよくはわからないが。ただ、私も最初にフランスに渡った時はひたすら通勤時間はフランス語慣用句を聞き続け、夜もフランス語のＴＶや映画を見続け、ようやく２～３年後にある程度仕事や生活で苦労しなくなった。まともな文法を習ったのは最初の２～３カ月程度だった。

フランス時代、最初は発音が通じなくてユーロスターの駅でミックスサンドを買えず泣きそうになったが、今ではフランス人の友人たちもいてＳＮＳ等で繋がっている。このシンガポールにも昔のフランス人の友人たちが住んでいて、たまに旧交を温めている。いろいろな言語を話せると人生も豊かになり、情報量も格段に大きくなる。たまに出張でタイやベトナム、インドへ行ったりするが、最近、ホテルで日本語チャンネルが少ないので、英語で聞いてニュースがよくわからない時はフランス語のチャンネルに変えて内容確認をしたりもできる。多言語が使えるととても便利だ。

10年近く前、トータルで16年以上いたフランスを去る時、フランス人の高齢の女性社員が悲しそうに「あなたがいなくなるのはとても寂しい」と言ってくれた。まあ社交辞令もあるかなと思いつつ、「どうして」と聞き返すと、「あなたの年頭方針のスピーチがとてもおもしろかったから」と言ってくれた。元々関西人なので毎回スピーチの際にはまず笑い（「つかみ」という）を取ることを習慣にしていたのだが、どうやら私の拙いフランス語は通じていたようだ。

話をニッポンに戻すが、ではどうすればニッポン人が英語を話して再び世界で飛躍できるのだろうか？ まずは教育改革と言いたいところだが、そんな大それたことをする必要はない。まずは英語のＴＶ放送を無償で流すことから始めれば良い。耳や目から自然に入ってくれば、高額な英会話教室に通わなくても子どもは自然に英語に慣れ親しむようになる。たとえば、オランダ人は言語が非常に堪能である。オランダでは普通に英語、フランス語、ドイツ語などのチャンネルをＴＶで見ることができる。これは前述のように大国に囲まれたオランダが交易で生き残るためには周りの大国の言語を習得する必要があったからで、これら多言語の環境で育ったオランダ人は自然と言語に堪能になる。たいしてお金もかけずに。

あとは学校の英語の授業をおもしろくすることだ。「好きこそものの上手なれ」とはよく言ったもので、おもしろければ自然と皆英語を喋りたくなってくる。ひたすら単語を覚えて、文法の間違い探しをするより、好きな英語の歌を歌って、英語で映画を見て感想を英語で話して、英語で恋愛について語って、社会を良くするためにどうすればいいかを英語で議論して、自然に英語が身につくようなカリキュラムに変えるべきである。これには教師のスキルが問題になるが、当面は英語を話す海外経験者や欧米人、フィリピン人やそれこそシンガポーリアンに講師をやってもらうしかない。シンガポーリアンに頼むとシングリッシュを話す子どもになる可能性もあるが、それも地域性があって良いだろう。多様性の時代である。

**これを言うと文科省のお役人たちや学者の先生がたにお叱りを受けそうだが、英語を準公用語にすべきだと思う。日本語は長い歴史があり、美しい言語である。これは大事に守らな**

ければならないが、一方で日本語だけではこの先ニッポンは生き残れない。インターネットで世界が広がる今、英語はほぼ公用語である。ビジネスをするにも研究して論文を出すにも英語が話せなければ話にならない。「Buy my Abenomics」と言った総理がいたが、普通、海外のトップはそんな発言はしない。

近い将来、ＡＩにより翻訳ソフトがもっと進化して同時通訳で英語が話せるようになったとしても、思考方法までは翻訳できない。たとえばシンガポールのＣＮＡというチャンネルは常に世界とアジアのニュースを流し続けている。ウクライナ戦争を中継しているかと思えば、オーストラリアやマレーシアの洪水被害のニュースを流している。シンガポール国内のニュースは稀である。たしかに国民が少ないのと、極めて安全で事件が少ないのもあるが、どのチャンネルでも同じ国内の小さいニュースばかり流しているニッポンのメディアとは大きな違いである。環境問題や食品問題等も常に大きく世界規模で取り上げている。たとえばこの英語の国際ニュースをニッポンの国内で無料で流すことで、世界的な思考と視野が自然と子どもたちに身についてくるのではないか。まずはガラパゴス状態から脱却するためにアジアで起こっていることを知るべきである。

フランスにいた時から感じていたのだが、ニッポンのメディアの情報は極めて限定的であると言わざるを得ない。国内の事件や事故が報道の大半を占め、海外のニュースや事件は表層をなぞるだけで終えている。私がニッポンのニュースで一番、違和感を感じるのは、海外の災害や事故の報道で最後に「本件における邦人の被害者はいませんでした」ということだ。ニッポン人が被害に遭わないのは幸いだが、邦人の被害がなければ良いのか？もっと事件の背景やその社会的影響を伝えなくても良いのか？といつも問いたくなる。またニッポンの海外報道の多くは「ロイター発」や「ＢＢＣによると」とかいった海外報道の受け売りであることが多い。先ほどのＣＮＡは各地に社員や派遣員がおり、自ら身体をはって（ウクライナ戦争などは防弾チョッキにヘルメットで）報道してくるので臨場感がある。ニッポンも記者やインタビュアーを派遣しているが踏み込みは甘いと言わざるを得ない。ニッポンが国際社会の真の一員になるには、メディアのあり方も変わらなければならない。もちろん記者たちの生命は第一優先に考えなければならないが。

先日シンガポールのＣＮＡのニュースを見ていたら、アメリカにいる女性記者が鼻ピアスで報道を伝えていた。ニッポンの初々しい局アナを見慣れていたので少々驚いたが、大事なのは報道の中身であって記者やアナウンサーの見た目ではない。報道を伝える方も、それを受け取る側の我々ももっと物事の本質を追求しなければならないと思う。

話を英語に戻す。今後、ニッポンが生き残るためには、得意とするアニメのようなエンターテインメント、先進の介護医療サービス事業、またニッポンの歴史、文化、自然を活かした観光業等を伸ばしていくことが大事だ。そのためには英語による本質的なコミュニケーションを海外の国々ととっていかなければならない。私は長く製造業に携わっているが、ニッポンの製造業が衰退した原因は、戦略性のない海外進出による国内空洞化、国の保護がないままの技術や人材の流出、付加価値創造を忘れた無理なコスト競争等々いろいろあるが、そのひとつが海外の会社や工場をマネジメントできる国際的な企業経営者の不足だと考える。同時にそれは国際的な感覚や英語で外国人部下をマネジメントするスキルの欠如が根底にあることを意味する。ニッポン特有の「阿吽の呼吸」で会社を運営してきたニッポンの経営者が、海外子会社で不正やハラスメントを見抜けないのは、このような国際性の欠如が大きく影響していると思う。ルールやプロセスを英語や他の言語で現地スタッフに徹底させるスキルである。もちろん適正に管理できている優良グローバル企業もあるが。

英語を準公用語にして、小学校はもちろん幼稚園から英語で遊ばせるべきである（私は少子化対策で幼稚園から大学まで国公立は全て無償化すべきと考えている）。英語は知識を習得することではなく、楽しく喋ることをメインにしてネイティブの講師を雇うべきである。高額な英会話教室でどれだけの国民が無駄な出費を続けているか、政府は考えたことがあるのだろうか？しかも社会人になって必要性を感じているようではシンガポーリアンや欧米人には国際競争で勝てないのである。思考方法からして違うのだから。標識も公用文書も婚約届さえも、全て英語併記にすべきである。映画も日本語吹き替え版はやめて日本語字幕だけにしてオリジナルバージョンを上映の基本にすべきである。声優の方の仕事が減ると困るが。最初はシンガポール同様、英語への抵抗もあるかもしれないが、今後ニッポンが世界で再び羽ばたき、子どもや若者が夢を抱いて世界の舞台で生きてゆくためには、世界標準言語である英語を話し、英語社会の思考方法を自然に取り入れるべきである。ニッポンという小さい井戸から出て大海に漕ぎ出すには「英語」というツールは欠かせない。

英語は子どもの頃から視覚、聴覚で慣れ親しめば決して難しくはないと考える。加えて英語を楽しく話す機会をもっと義務教育で増やすべきである。我々が英語の授業で最初に習った〝This is a pen.〟は実際の会話ではほとんど出てこない。またニッポンの詰め込み受験勉強の影響でまず、「正しく話そう」とするニッポン人のなんと多いことか⁉ コミュニケーション能力は正しく話すことではなく、「なんとかして伝えよう」とするうちに身につくものである。多くのニッポンの企業が海外進出しながら今ひとつ世界でプレゼンスを発揮できないのは、この英語発信の問題もベースにあると思っている。「英語を話せるから」といきなり経営経験のない人間を海外関係会社のトップに据えて失敗するケースも多々ある。英語力と経営能力は全く違う能力なのである。優秀なニッポンの経営者でも、英語を話せないために海外で真の力を発揮できない場合は多い。

あらためてニッポンは国際的な共通語である英語をその教育に取り入れ、単に言語能力だけでなく欧米人やシンガポーリアンたちの考え方や政治形態、ビジネスセンスを身につけて世界の人々と対等に向き合うべきである。もはや「ガラパゴス」では生きていけない。鎖国できた江戸時代ではないので、このままでは座して凋落していくのみである。

## ［八の策］　ニッポンの生きる道（観光立国と介護ビジネス輸出国へ）

### 観光立国ニッポンへの道

コロナ禍がほぼ収束し、シンガポールやタイでは旅行でニッポンを目指す人が急速に増えている。欧米からの訪日も復活し、先般は羽田空港が欧米人旅行者で溢れていた。世界中がコロナ禍の閉塞感から解放された感じで、皆が安全・安心、そして最近の円安でお得になったニッポンを一斉に目指している。コロナ禍前に爆買いが話題になった中国からの旅行者もまた復活するだろう。他の業界が頭打ちのニッポンの経済にとっては極めて良い傾向だ。

シンガポールではラーメン一杯が10ドルから15ドル程度する。日本円で1100円から1700円程度、ニューヨークでは2000円程度するらしい。コカ・コーラもシンガポールでは1本300円、なぜ世界の人が今、ニッポンを目指すのかは明確だろう。また2000年以上の極めて独特な歴史と文化、風土を持ち、美しい四季の自然と外国人に優しいニッポン人の存在は世界の人を魅了してやまない。これを沈みゆくニッポン経済復興のひとつの大きな柱にしなければならない。

私自身もメーカーに勤務して長く海外に駐在しているが、今のニッポンのメーカーの凋落には愕然とする。シャープが外資に買収され、サンヨーの洗濯機などの事業も外資に売却され、多くの技術者が外資に転職しては、技術の移管後に「使い捨ての駒」状態になっていると聞くと、「ジャパン・アズ・ナンバーワン」を知っている私の世代は悲しくなってしまう。半導体摩擦も同様だが、もっと官民をあげて技術流出を防ぐ手立てはなかったのだろうか？政治家が選挙のためのバラマキ法案を通している間にニッポンはどんどん競争力を失っていった。これからはニッポンの総力を挙げて新しい国家規模ビジネスの創出を図らなければならず、フランスやスペインのような観光立国になるためにはさまざまなインフラ整備と新しいスキームによる観光ビジネス・プランが必要である。

今や北海道のニセコは外国人村になっているそうだ。近くのホテルや別荘は外資になり物価も高騰、店頭表示も英語が多いらしい。またオーバーツーリズムも地元住民には大きな問題になっている。先日、ＴＶでシンガポーリアンや中国人が北海道の別荘やホテルを買い上げている映像が流れていた。インフラとして1泊何十万円、時には何百万もするホテルが必要であるとか、自家用ジェットが乗り入れやすい空港が必要とのことだった。今のニッポン人の常識からは考えられないかもしれないが、ニッポンが観光立国としてインバウンドで成長するためには、こういった海外の大金持ち需要を受け入れるインフラ整備が必須だろう。政治家もただインバウンド目標3000万人とか言うだけでなく、どうすればその地域の人が快適に外国人観光客と生活できるか、どうやればインバウンドにより地域が潤い、税収が増えるのか、真摯に検討してビジョンを示し、具体的な政策を打ち出していかなければならない。

たとえば、シンガポールでも欧米でも日本食レストランのお茶は有料である。私がよく行くシンガポールの蕎麦屋では緑茶は1杯2ドル（約200円程度）である。ニッポンでは「お茶はタダ」が常識だが、海外では基本、水道水以外は有料である。ニッポンの常識は世界の非常識である。これを法律で有料化するよう指導すれば、たとえば年間3000万人の外国人旅行客が来て、平均5日間滞在し、1日2杯の緑茶を飲むとして、約600億円の売上増である。原価の低さは言うまでもないのでそのまま地域観光の収益となる。ニッポン人にとっても自動的に有料になるがその分、飲食業界の収益は上がる。たとえば大人のニッポン人1億人が海外からの旅行客同様、1人1日1杯の緑茶を飲むとすると、なんとその経済効果は約7・3兆円である。「とらタヌ」ではあるが、充分、検討に値するだろう。消費増で景気が良くなり、インバウンド系以外の飲食店も潤うのである。今やニッポンの飲食業界の価格設定は世界平均から見て極端に低いのも事実である。非常にたしかな景気浮上策になる。

また、お茶以外にもシンガポールや他の国では、博物館や美術館では外国人価格が適用される。一度インドで遺跡を見た際、現地の人との入場料の差が10倍近くあって驚いたが、これが常識になりつつある。シンガポールも外国人価格を適用している。ニッポンはどうだろうか？ いまだに外国人観光客と差がない施設が一般的ではないだろうか？ 極めてもったいない話である。海外視察に行く政治家たちは一体何を見ているのか？ 自分で払わないので気がついていないのかもしれない。

また、シンガポールの飲食店ではクレジットカード会社や銀行などの広告サービスで、一定額以上の飲食をオーダーすると1品無料でオファーされたりする。たとえば、ラーメン店で5000円以上オーダーすると唐揚げタルタルが1品、無料で付いてくるといった具合に。

これもニッポンの観光地の飲食店をさらに活性化するためのひとつの手段だろう。実はインバウンド好調の裏でニッポン人が気づいていない高い付加価値が山のようにある。富士山のトイレが外国人に占領されるなら、外国人向けに高い入山料にして霊峰富士に相応しい立派なトイレや宿泊施設を作って、富士山がゴミで汚れず、ニッポン人も心地よく登れる環境にすべきだろう。爆買いの外国人には相応の税金を課して、ニッポンの顧客もゆっくり買い物できる施設や環境を整えるべきである。ニッポンの温泉に入りたいなら外国人用の入湯税を課して、入湯マナーと共に周知徹底させるべきである。これらのインバウンド付加価値を地域や国民に還元する仕組みを政策として打ち出すことこそが政治家の仕事ではないだろうか?

### 介護ビジネス輸出国

ニッポンの要介護(要支援)認定者数は、2035年までは大きく増加していき、2040年にピークを迎え1000万人近くになると予想されている。国民の1割近い人が要介護となるわけである。実に恐ろしい現実だが、フランス等、海外をしっかり見習い少子化対策を取りながら労働人口を増やす手立てを取るべきである。そして同時にこの老人大国の現実にも向き合い、必要な対策を講じなければならない。

ただ、人口の1割近くが要介護になるわけだから、その受け皿、すなわち介護施設や訪問介護を実現するインフラの整備、システムの構築、付加価値の高いサービスを実現していかなければならない。幸か不幸かこれから老人大国になる超大国である中国やアメリカ等はまだニッポンほど、少子高齢化が問題にはなっていない（時間の問題であるが）。**今のうちに介護のシステム化、外国人労働者へのマニュアル整備、介護ロボット等による見守りシステム構築、入浴自動化、地域行政と密着したインフラ整備を進め、パッケージ化して海外にそのノウハウとシステムを輸出するのである。もちろん英語でマニュアル化し、国際特許も取得し、ニッポンが介護ビジネスの輸出先進国になるのである。**

幸いにもニッポンにはテストマーケティングができる巨大な老人市場が存在し、また大手企業も続々と介護ビジネスに参入している。**今こそ官民一体となってニッポンの進んだ介護ノウハウのビジネス化にチャレンジすべきである。また、ニッポンは土地を掘れば温泉が噴き出す、極めて恵まれた国である。国際的な温泉付き介護施設を構築して、世界中の富裕層**

**が老後、ニッポンの保養施設で暮らせるよう高級ホテルや介護施設を充実させれば莫大な富がニッポンに集中する。**

今、シンガポールに移住する中国人が増えている。その影響でシンガポールの主に外国人向けコンドミニアムの価格が高騰して2年前の1・5倍を超え、私も家賃高騰で困った。政府も躍起になって富裕層の外国人のみが移住できるよう、諸手続きの収入印紙を値上げするなどの対策に乗り出している。狭いシンガポールにあまりにも大量の外国人が流入されては困るのだろう。

ニッポンもインバウンドを増やすのは良いが、彼らがニッポンにお金を落としてくれる仕組みづくりを急がなければならない。また、ニッポンの土地や水資源といった固有の資産が外資に奪われないよう、政府は今から手を打って欲しい。気づいたら有名な観光のそこここが外資だらけになっているのはゴメンである。

ニッポンは2000年の歴史を持つ、世界有数の自然美しい国である。いい加減、自分で管理できない原発などで国土を汚すのではなく、外国人富裕層向けの国際的な介護施設やホテルを整備して、彼らがニッポン国民と共に安心して老後豊かに暮らせる国づくりを目指してほしい。

**弱みを強みに変える発想を**

観光立国や介護ビジネス輸出国を例に挙げたが、まだまだニッポン復活に向けて伸ばすことのできる潜在的なビジネスは多いと思う。たとえば今、ニッポンのエネルギーを支えているのは、石油、天然ガス、そして原子力である。化石燃料である石油、天然ガスは皆さんよくご存知のように海外からの輸入に頼っており、ウクライナ戦争後はいずれも価格が急騰してニッポンの経済を圧迫している。原子力発電も福島原発事故以降、原発再点検のため、減少はしたもののいまだに頼らなければならないのがニッポンのエネルギー事情である。

一方、同じく島国で石油も天然ガスも採れないシンガポールでは、スマートネイション構想に則って急速に自然エネルギー利用が拡大している。現在、世界最大の太陽光発電インフラを準備しており、オーストラリアから電力を供給する計画が着々と進められている。距離は約5000キロメートルにも及び、予定通り2027年に地下トンネルを通じて供給が開始されると、シンガポールの電力需要の最大15%が世界初の大陸間送電システムを通じて供給されることになるという（乗り越える壁は多そうだが）。

一方、ニッポンは使い古した原発の耐久年数を無理やり引き伸ばして再び使う予定らしい。福島原発事故の教訓はどこへ行ってしまったのか？原発処理水の海洋放出が問題となっているが、それ以前に、前述したように元のウラン鉱石と同レベルの放射能に下がるまでに10万年かかると言われている。これらの核のゴミを自治体に金をちらつかせて地方に埋めようとすることを一体いつまで続けるのだろうか？これ以上、美しい自然一杯のニッポンを汚さないでほしい。前述のように、子どもの頃に見たTVのCMでは「原子力は安全でクリーンなエネルギーです」と言っていたが、子ども心にも「安全なわけないのになぁ」と見るたびに思っていた。そういうニッポン人は決して私だけでないだろう。

幸いニッポンは周りを海で囲まれており、風力発電の場所には事欠かない。大陸プレートの狭間で火山が多く、地熱発電にも適している。にも関わらず、ニッポンの自然エネルギー活用の割合は2割程度で、欧州の多くの国が40％を超えている現状から見れば非常に遅れているると言わざるを得ない。風力発電、太陽光発電、またバイオマスエネルギーといった循環型エネルギーへの転換政策をもっとダイナミックに図るべきである。小泉元首相が「私は（原子力発電推進派に）騙されていた」と発言しているが、どうしてこれがもっと永田町で問題視されないのか？多くの原子力推進派の利権により政治家ががんじがらめになっていないことを祈るばかりである。

ニッポンは石油や天然ガスといった資源に乏しい。だからこそ自然エネルギーの活用を積極的に推進し、ノウハウを蓄積しその技術のパテント（特許）を取り、同じように化石資源に乏しい国へパッケージとして売り込むことが、大きなビジネスの機会を産むと考える。弱みを強みに変え、ピンチ（原発事故）をチャンス（新たなビジネスの創出）に変えていく、柔軟かつ大胆な発想こそが今、ニッポンには求められる。政治家の皆さんには、今日や明日の利権や選挙ではなく、50年先、１００年先のニッポンの未来を考え、政策立案＆実現に邁進してもらいたい。

## シンガポールはニッポンより涼しい!?

言うまでもなく、シンガポールは赤道直下の島国である。四季はなく乾季と雨季はあるが、気温は平均して26〜32度ほどで朝晩は比較的過ごしやすい。雨季で旧正月の1〜2月あたりはエアコンがいらない日もある。先般、8月に東京に出張してその殺人的な暑さに驚いた。2カ月以上も真夏日が続いたらしく、もはや熱帯地域のようである。東京はコンクリートジャングルだがシンガポールは本当のジャングルで、基本は暑いのだが海風が通るので都会で熱が籠る東京ほど暑くはない。近年のニッポンの夏は新潟や秋田といった北の地方でも37度を超えている。地球温暖化の影響が明らかにこれまでの環境の常識を変えつつある。シンガポールのニュースを見ていると、世界中で大雨による洪水や乾燥＆高温による自然の山火事、ハリケーンの被害が急増している。ニッポンのメディアはしっかりと報道してくれているのだろうか？ シンガポールのニュースでは毎日、異常気象の警鐘を鳴らし続けている。「ニッポンの大そうじ」も大事だが、地球環境を人類が守ることはもっとも重要な課題である。

セントーサ島のパラワンビーチ

第4部

# これからのニッポンを担う若者へのメッセージ

シンガポールからニッポンのTV系ネットニュースをよく見ているが、子が親を殺した、またその逆で親が子を殺した、保育園の職員が子どもたちを虐待した、老夫婦が生活に困って焼身自殺した等々、極めて暗いニュースが多い。一方で国会では大臣が次々と不正や汚職、不適切な発言・行動で解任されている。野党も必死に与党を攻撃しているが、将来のニッポンを良くするための議論があまり見えてこない。ニッポンの若者が将来に希望を持てない、ニッポン人が他人を思いやれない。弱者を切り捨て自らの都合を優先させるような事件が多いのも、本来、国民に範を示すべき政治家が私利私欲、党利党略のことしか頭になく、高額な報酬と党内の出世を目指す、いわゆるサラリーマン化してしまったことも大きく影響していると感じるのは私だけだろうか？

シンガポールでは、大臣や副首相がタウンミーティングやTVで将来の方向性をしっかり自分の言葉で説明し、道路で唾を吐いたら罰金とか、ガムは持ち込んでは行けないとか、厳しい規制もあるが、国民は総じて政府の方向性を理解し、シンガポールの発展を疑ってはいない。実際、1人当たりの賃金もGDP金額もはるかにニッポンを追い越してしまった。『クレイジー・リッチ』に登場するような金持ちの割合が多いのもあるが、1人当たりの名目GDPはニッポンの2倍以上である。現首相のリー・シェンロン（建国の父、リー・クアン・ユーの息子）はシンガポール全体をスマートシティ化すべくスマートネイション構想を強力に推し進めている。特に重要な分野は以下の5つだ。

・都市生活（Urban Living）
・交通（Transport）
・健康（Health）
・電子政府サービス（Digital Government Services）
・起業・ビジネス支援（Startups and Businesses）

ビジネスも同様で、まずトップがビジョンを描き、経営陣がそのビジョンに合わせて重点施策とマイルストーンを明確にしていく。優秀な社員たちがこれを具現化し会社を発展させる。最近の日本企業のトップは明確なビジョンを示さない人が多いのではないか？方向性が定まらず、先行き不安だから内部留保に汲々としてニッポン人の賃金も上がらない。シンガポールではトップのスマートネイション構想に沿って、着々とシンガポール西地域でスマートシティが実現しつつある。企業も早々に製造から金融、ＩＴに将来の舵を切り、シンガポールの発展に寄与している。そのベースには、ほぼ全国民が英語でコミュニケーションできることのメリットがあると思う。

最近、シンガポールを訪れた方はおわかりかと思うが、マリーナベイ・サンズやガーデン・バイ・ザ・ベイ等、近未来的な建造物が林立し、未来都市の様相を呈している。そこに住む国民はシンガポールの未来を信じて生活し、子育てに勤しんでいる。若い世代も活気があってイキイキしている若者が多い。住居もＨＤＢという公営住宅に安く入ることができ（これは多分に国が狭いことにも起因していると思うが）、社会保障制度も比較的充実している。国民の生産性を上げるためのインフラや共働きのための仕組みも整っている。

一方、ニッポンはどうか？本来、ニッポンの未来を定めるための国会がはっきり言って不毛な、足の引っ張り合いのような議論に終始しているのではないか？与党は選挙に当選することが主な目的となり、小手先の人気取りのような税金バラマキ政策で国の借金をイタズラに増やし、選挙が終われば国民のことを忘れ、党利党略を優先し、ひたすら大臣や総理

[図11] 国政選挙における投票率の推移(衆議院) 出典:総務省

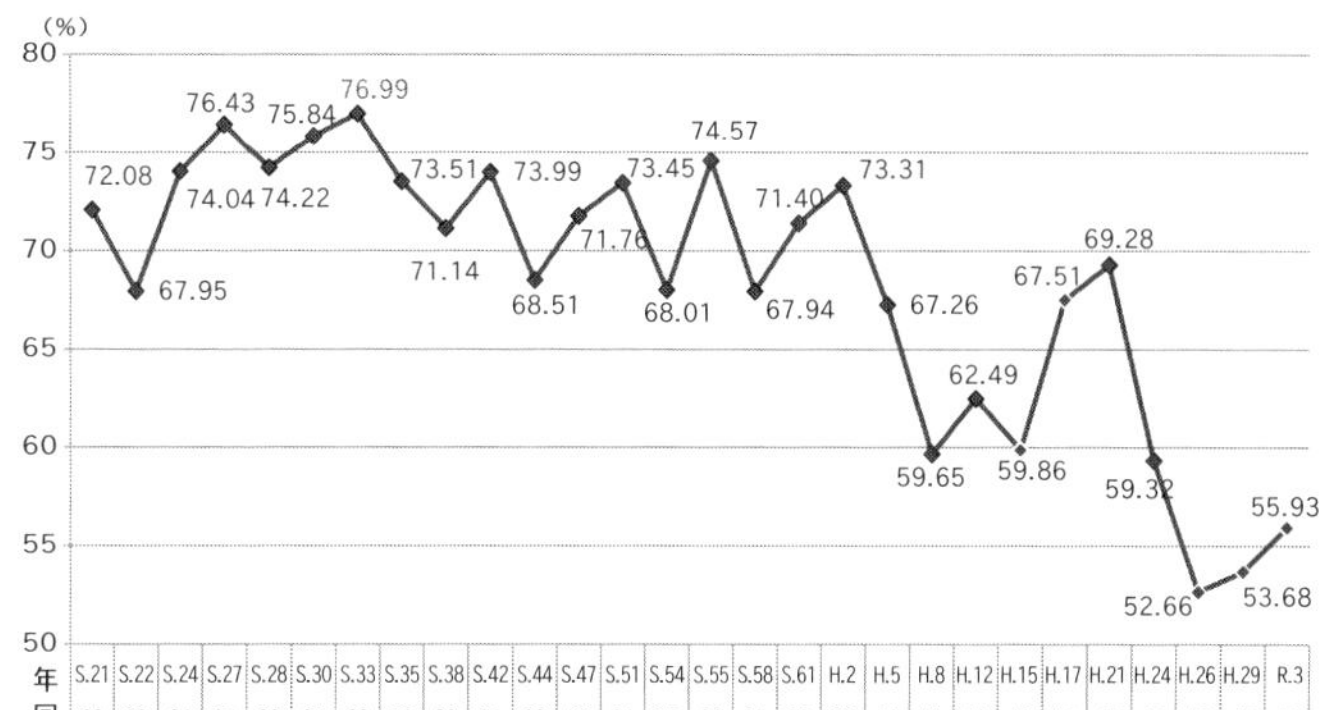


注1 昭和38年は、投票時間が2時間延長され、午後8時までであった。 注2 昭和55年及び昭和61年は衆参同日選挙であった。 注3 平成8年より、小選挙区比例代表並立制が導入された。 注4 平成12年より、投票時間が2時間延長になり、午後8時までとなった。 注5 平成17年より、期日前投票制度が導入された。 注6 平成29年より、選挙権年齢が18歳以上へ引き下げられた。

大臣の椅子が空くのを待っている。老衰した大企業にいる、上ばかり見ているサラリーマンのような国会議員が多いように感じるのは私だけだろうか。野党は野党で与党に反対して、大臣や総理大臣を攻撃することが主題になっていないか？本来の国家を富ます施策や骨太のニッポン再生計画を打ち出せていないのではないか？このような国会を見ている国民が政治に冷めてしまうのは当然であろう。投票率の低下が如実にこの事実を物語っている。

㈱パーソル総合研究所「グローバル就業実態・成長意識調査（2022年）」によれば、「はたらくことを通じて、幸せを感じている」

**[図12] ㈱パーソル総合研究所**
**「グローバル就業実態・成長意識調査(2022年)」**

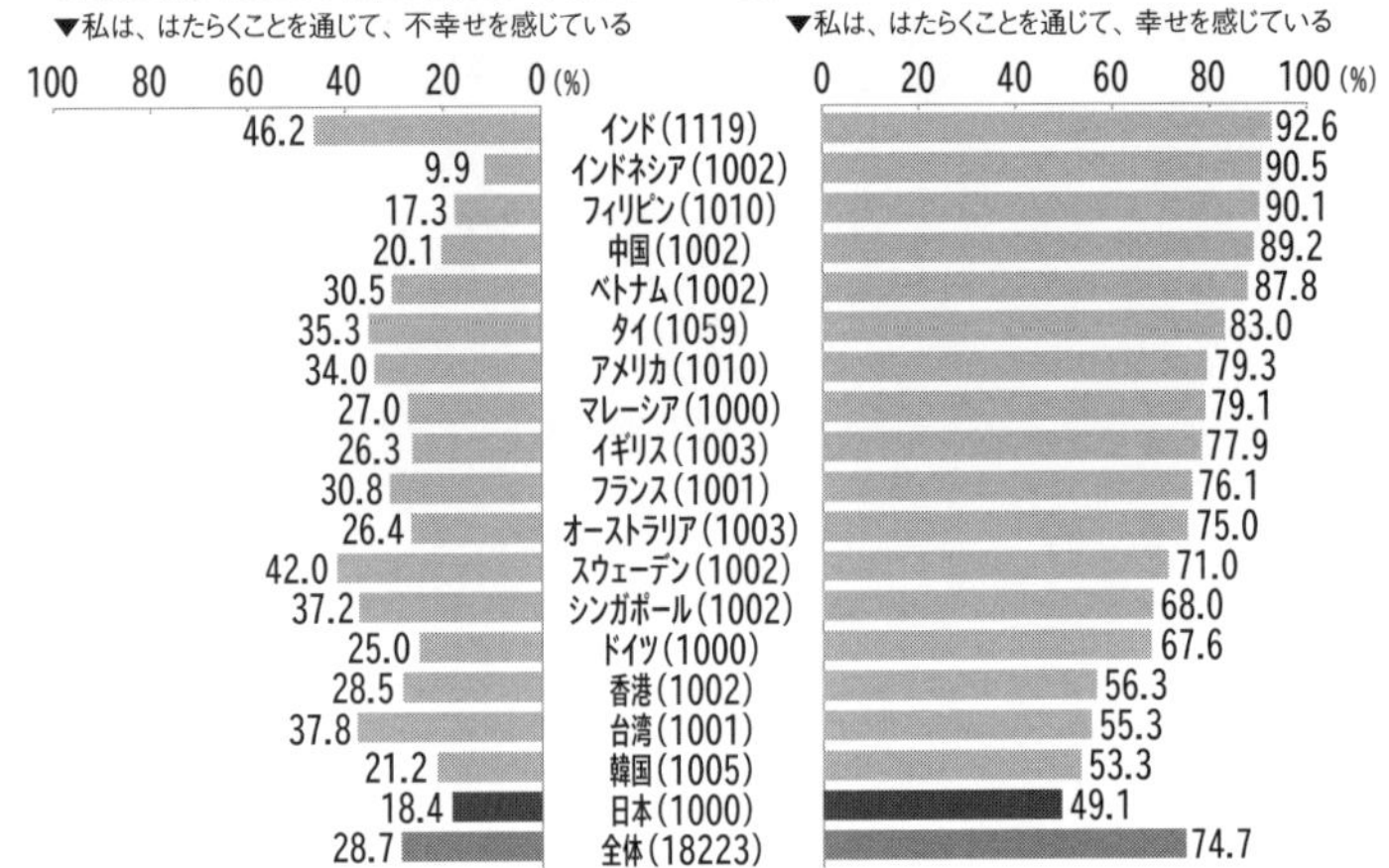


就業者の割合は、トップがインドで92％、米英仏が70数％、ニッポンが49％で調査18カ国中、なんと最下位だった。ニッポンはどうしてこんなに労働意欲が湧かない国になったのか？ 政治が与党の総理総裁経験者で牛耳られており、総理職も派閥の持ち回りで国民の意思が反映されない。会社もお爺さんたちがいつまでも権力の座に居座り続け、忖度する周りの役員たちが大胆な改革や変革を起こせないでいる。結果、根回しや上司の顔色をうかがう職場になっていく。これでは仕事もおもしろくないだろう。最近、トヨタが創業家出身の社長を交代して若い社長に権限の移譲を行った。世界を牽引する今や数少ないニッポンのメー

カーの英断に心から拍手を送りたい。

高杉晋作の辞世の句として「おもしろきこともなき世をおもしろく」が有名である。下の句として「すみなすものは心なりけり」があり、これは本人の作かどうかわからないようだが、要約すると「おもしろくない世の中でも、自分の心しだいでおもしろくできる」、要は本人しだいということだろう。失われた30年と言われ、今、いろいろな意味で閉塞感が漂うニッポンを変えるにはニッポン人一人ひとりが考え方を変え、くだらない古い常識や慣習を捨て、新しいことにチャレンジしていくことが必要なのかもしれない。特に老衰化した政治の世界において必要なアクションかも知れない。

そんななか、私が一番危惧するのはニッポンの若者たちだ。このままニッポンにいても年寄りのための社会保障費負担が大きくなり、自分たちの年金がまともに支払われるか定かでない。国債という名の借金は膨れ上がり、ニッポン・ブランドが地に落ちれば円の信用が落ち、果ては暴落しかねない。そんな国で「夢や希望を持て」と誰が言えるだろう? 能力と語学力、資金のある若者にとっては海外で生きるのもひとつの手だろう。ただ、ニッポンの試験用英語で育った今の若者の英語力では、実際極めて限られた人たち（たとえば帰国子女やハーフやクォーターの人たち）のみが可能な選択肢かもしれない。それでも私はニッポンの若者が広い世界でチャレンジすることを期待したい。道は険しいが、その経験はきっと若い皆さんを鍛えてくれるだろう。安全や健康にはくれぐれも注意してほしいが。

これからニッポンを担う若者の皆さんには英語力はもちろん、ぜひ海外で通用する「人間力」を磨いていただきたい。長く海外にいて思うことは、周りを動かして目的を達成するためにはその人自身が魅力を持ち、また自国の文化を愛し、伝達し、他国の文化をリスペクトできる器の大きい人、感度の高い人であることが大切である。私がどこまで器が大きいかは甚だ疑問だが、少なくとも海外でお茶会や日本映画祭の支援を行い、日本語のボランティアなどを通じてニッポン文化の伝播に努めている。どこまで貢献できているかはわからないが、海外にいる間は何らかの文化発信を続けたい。最近はＳＮＳがあるので世界の人とすぐに繋がることができる。今も私はフランスやイギリスをはじめとした世界の友人たちと繋がっていてとても楽しい。ぜひニッポンの若者も狭いニッポンにとらわれず、国際的な「人間力」を身につけて世界で羽ばたいてほしい。そして、政治の世界でも与党の老人たちによる選挙のためのバラマキ政策をやめさせ、海外の若い政治家たちと対等に世界のなかのニッポンを導くような、国際的な人材に出てきてほしい。

この本のタイトルでもわかるように、私は坂本龍馬や高杉晋作といった明治維新の基礎を作った幕末の英雄たちを尊敬している。彼らがいなければ、これまでのニッポンの繁栄はなかっただろう。ニッポンは欧米の植民地になることもなく、第二次世界大戦までは自力で国防を成し遂げた。幕末の若い志士たちがイギリスをはじめとした列強に植民地化される清国などを見て「このままじゃニッポンが異国に乗っ取られる」と獅子奮迅の活躍をした。以前、NHK大河ドラマで福山雅治演じる坂本龍馬が犬猿の仲だった薩長の同盟を成し遂げ、「船中八策」を書き上げるところでは感動を通り越して限りなく涙が溢れてきた。また、高杉晋作が列強の4カ国艦隊（英米仏蘭）に単身和睦の使者として乗り込む姿もよかった。まさに快挙である。国のため、国民のため、新しい世の中を作るため、命懸けでニッポンを守った先人たちの志を私たちは決して忘れてはならない。

今のニッポンは首相経験者が一般市民に改造銃で射殺され、現役の首相も爆弾を投げつけられる国である。単に「テロ」で片付けられない事象である。ニッポン社会の言いようもない政治への不信感、歪みが大きく影響していることは否定できないだろう。ニッポンという国の将来への不安が少子化にも繋がり、企業が内部留保を優先して社員への還元を控え、ひいては失われた30年につながっている。昨今のニッポンの老人を狙った海外からの卑劣な詐欺事件、保育士の幼児虐待や教師の盗撮、企業や役人の贈収賄等々、モラルや責任感の低下は甚だしい。最近のニッポンは終焉に向かって自暴自棄になりつつあるようにも感じるのは私だけだろうか？

シンガポールからよくタイやベトナム、インドに出張する。シンガポールは超先進国だが、他の東南アジアやインドはまだまだ発展の途上であり、若者はより良い職業や役職を目指してギラギラした目で仕事に邁進し、国の成長を支えている。昭和のニッポンもこんな感じだったのではないかと思う。故田中角栄氏の日本列島改造論に代表されるように、政治家も官僚も国家観を掲げて企業や国民をリードし、ニッポンを「ジャパン・アズ・ナンバーワン」と言われるまでに成長させた。その間、国民の生活も高度経済成長で豊かになり、一家に1台の自動車保有も当然のようになり、ソニーやトヨタ等、企業の世界進出も華やかだった。

今や製造業は中国や韓国に技術ごと乗っ取られ、かつては花形だった半導体もシェアを奪われ、世界に冠たるトヨタもＥＶ時代に生き残れるか際どいところにある。ぜひ、ニッポンの自動車産業には水素燃料エンジンによる巻き返しを期待したい。金融も旧大蔵省主導の護衛船団方式でバブルが弾けてから急速に弱まり、世界でのプレゼンスは低い。ＩＴにも期待したいがＧＡＦＡＭに完全にプラットフォームを独占されている。来るＷＥＢ３・０の世界でどこまでニッポンのＩＴ企業が存在感を出せるのか？ＡＩ競争の行方で主導権を握る感じはまだ出てこない。むしろ後手に回っている感がある。

しかし、勤勉で高度な教育を受けた真面目な国民が1億人以上いることは確かである。今からでも決して遅くはない。ニッポンの強みを活かし、弱みを克服すれば、必ずニッポンは不死鳥のように蘇ると私は信じる。考えて見てほしい。ほんの１６０年ほど前まではニッポン人は丁髷で着物を着て、侍は刀を差していたのである。産業革命を経た欧米人から見ればなんと時代遅れの民族だったことか。ニッポンの英雄たちの命を犠牲にした明治維新という革命を経て、多くの先達の努力や苦労の末、世界ＧＤＰ2位の大国にまで上り詰めた。それから考えればこれからニッポンが再浮上することは決して夢まぼろしではない。非常に現実的かつ手の届くところにある目標である。

ニッポンは超高齢社会である。だからこそ、前述のような介護ビジネスに大きなポテンシャルがある。ニッポンで構築された介護システムの輸出、介護ロボットやＡＩによる見守りシステムの開発、ひとり暮らしの老人のための防犯システムの輸出、優れた介護用品の開発、輸出、人間の寿命が伸びるので中国や米国以外でもいくらでも需要がある。

環境ビジネスも同様である。ニッポンは島国で広大な海に囲まれている。水上風力発電の開発、海水を飲料水に変える技術も輸出できればビッグ・ビジネスになるだろう。また、ニッポンは至るところに火山があり、地熱発電や温泉水の利用等も可能だろう。無尽蔵とも言われる海洋資源の開発もまだまだ今後、推し進めることができる。

そしてインバウンド・ビジネスである。コロナ禍明けのゴールデンウィークに羽田空港を利用したが、外国人客でごった返していた。その頃、中国ではまだＰＣＲ検査証明が必要であったためか、欧米人が非常に多かった。シンガポーリアンの一番行きたい国もニッポンだった。『THE FIRST SLAM DUNK』や『すずめの戸締り』といったニッポンのアニメ映画が中国でヒットしたこともあり、コロナ禍明けで今後、中国からの観光客も爆発的に増えるだろう。オーバーツーリズムも懸念されるが、仕組みづくりの問題だろう。

ニッポンの豊かな自然、四季折々の美しい風景、繊細な山海の珍味、ニッポン人のおもてなしの精神は外国の旅行客を魅了して止まない。リピート率が極めて高いのも、ニッポンに来る旅行客の特徴である。私の友人のシンガポーリアンも東京の次は大阪、北海道の次は信州白馬とニッポン愛を満開にして嬉しそうに旅の計画を話してくれる。あるマダムは私より東京のレストランに詳しい。麻布のピザ屋は世界でも有名だとか、何カ月も予約待ちの寿司屋とか、ニッポン人である私が知らないことが恥ずかしいくらいである。

ただ、多くの外国人が来るにも関わらず、受け入れ側のニッポンはビジネス下手であると言わざるを得ない。例を挙げると、受け入れ側のホテル。海外には1泊何十万円も何百万円もかかるＶＩＰホテルが多い。世界の金持ちは暇ができれば思いついたように自家用ジェットで旅行に出る。ニッポンにはそういったＶＩＰをもてなせるホテルが極めて少ない。タイやマレーシアをはじめとした東南アジアのリゾート地にはこれらの超高級ホテルが存在する。シンガポールのＴＶでは、シンガポールの不動産業者が北海道にこれらの超高級ホテルを建設するとコメントしていた。外資が目をつけているのにニッポンのホテル業界はどうするのだろうか？　とっくに手を打っているものと私は信じたい。国が助成金を出してでも支援すべき事業だろう。世界のＶＩＰのインバウンドは一般旅行客の何百、何千倍ものお金を落として行く。

国は税金を国民から取ってバラ撒くだけでなく、どうやって外資を稼ぐ仕組みを作るのかをしっかり考えてほしい。これら海外需要を知り、発想の転換を図れば、ニッポンのインバウンドは膨大な利益を生むのである。美術館や博物館、神社仏閣への外国人向けの割り増し料金等、数え上げればキリがないくらい、ビジネスチャンスに恵まれているのである。

このように、ニッポンの強みを活かした新しいビジネスの創出に向けて、ニッポンの若者が邁進してくれることを期待したい。我々シニアは未来ある若者の背中を押せるよう、ニッポン社会の仕組みを変えていかなければならない。そのためにニッポンの弱みである英語による発信力の強化、詰め込み教育と知識偏重受験制度の改革、労働力の流動性を高めること（年功序列廃止）、ニッポンの政治家や経営者の若返り、女性の「真」の社会進出、官僚の天下り禁止の徹底等を図らなければならない。道のりは決して平坦ではないが、今、我々ができることは本当の政策やしっかりした信条を持った政治家を見極めること、そして貴重な一票を投じることである。決してコネベースや組織、知り合いに頼まれたなどの理由で選んではいけない。あなた方自身の目で見て信じるに足る人間かを見極めなければならない。また、そのような人物が選挙に出られるような環境を整えてあげることである。また、あなた自身が政策、信条を持っているなら立候補したっていい。ニッポンの政治はお金がかかるが、今はクラウドファンディングやSNSがあり、お金をかけなくても若者が政策や信条を発信する手立てはいくらでもあるだろう。

私は海外駐在期間以外、ニッポンのサラリーマンとして東京で勤務してきた。クレージーとも言える満員電車で1・5時間近くかけて神奈川から東京に通勤していた。思うのだが、今の政治家の人たちにはこうした会社勤めの苦労がわかるのだろうか？親やおじいちゃんの地盤を継いで、親の金で海外留学して、腰掛けで大企業に入り、政治家へのエレベーターを登っていく。黒塗り公用車で国会へ登院する。今のニッポンの政治が庶民の感覚からかけ離れているのは、こういったニッポン独特の政治家の特権階級意識から来るのではないだろうか？もういい加減、時代錯誤の政治は変えるべきだ。

インドネシアのジャカルタを仕事で2度ほど訪問したことがある。ご存知の方も多いと思うが、インドネシア政府は首都をジャカルタからカリマンタン島の「ヌサンタラ」という地に移転する計画を立てている。ジャカルタは毎年10センチメートルほど沈んでおり、地盤沈下と地球温暖化の影響で大規模な洪水被害に見舞われている。タイでも以前、アユタヤの大洪水で日本企業の多くの建物が水没した。首都バンコクもたびたび水害に見舞われている。江戸時代から海を埋立ててできたニッポンの首都東京も決して安全ではないだろう。巨大地下貯水施設も建設しているが。

100年後には海面水位が約1メートル上がると言われている。この時にはニッポンの砂浜の約9割が失われることになる。首都直下型地震も危険ではあるが、明らかに環境破壊による海面上昇がわかっているならなぜ首都移転しないのか？東京一極集中による通勤の不便さはさほど大きな話ではないのかもしれないが（個々人にとっては大事な話である）、官公庁を含めた政治機能が水没してしまうリスクを考えれば、インドネシアのように先々を考えて今から準備しておくことが大事だろう。文化庁が京都に移ったことがその先駆けならば良いのだが。地球温暖化対策としての大きなビジョンが見えてこない。

また「地方再生」が言われて久しいが、地方の人口減、里山や山林の荒廃が甚だしい。限界集落の立て直しも地方主導でやっているが、中央省庁は頭でっかちで地方を顧みない。与党のボンボン政治家の言うことしか聞かない明治時代から続く中央省庁の主導では、すでに限界だろう。地方に権限を移して（たとえば道州制）、地方からニッポンの活性化を図る時だとつくづく思う。中央は方向性と目標、そのための手段だけ示し、あとは地方の現場がわかる人たちに任せること、これがニッポン再生のひとつの重要な鍵だろう。おらが村の先生や町の名士に陳情してお金と箱物で解決する時代はとっくに終わっているはずである。いまだに献金パーティー不正や選挙に伴う贈収賄が蔓延していては、海外からニッポンの民度が低いと言われても仕方がない。

さぁニッポン人よ、目覚めよ！　かつてマルコ・ポーロが夢見た黄金の国〝ジパング〟よ。ニッポンは世界にもあまり例を見ない、２０００年の悠久の歴史と、島国としての素晴らしい独自文化を育んだ国である。元寇に耐え、近代では日露戦争で国家を防衛し、ＡＢＣＤ包囲網に果敢に挑み、そして敗れ、世界で唯一核兵器の攻撃に遭い、また原子炉のメルトダウンまで経験している凄まじい国だ。満員電車を我慢し、つまらないストレスで時間を浪費し、家のローンで夢を押し殺している暇はない。世界に羽ばたき、人類を気候変動や核戦争による滅亡から救うために、勇気あるニッポン人として果たすべき役割があるはずだ！

我々の子どもや孫たちに、誇るべきニッポン人としての未来を共に残そうではないか！　若者もぜひ「夢」を持ち、世界に向かって羽ばたいてほしい。人生は一度きり、悔いのない人生を！

**藤沢秀一**
関西学院大学社会学部卒、
36年のメーカー勤務。
その過半を海外で暮らす。
シンガポール在住。現地法人社長。

**参考図書：**
『利生の人 尊氏と正成』
著 天津佳之、日本経済新聞出版
『人新生の「資本論」』
著 斎藤幸平、集英社新書
『第三次世界大戦はもう始まっている』
著 エマニュエル・トッド、文春新書
『不都合な真実』
著 アル・ゴア、ランダムハウス講談社

[カバー写真]
shutterstock
[本文写真]
P.23 PIXTA
P.40 iStock.com/catchlights_sg
P.56 上2点：PXTA
中：iStock.com/fotoVoyager
下右：iStock.com/ronniechua
下左：iStock.com/Augustcindy
P.58 iStock.com/bonchan
iStock.com/yasuhiroamano
P.81 PIXTA
P.98 PIXTA
P.127 上：iStock.com/aluxum
中右：iStock.com/artorn
中左：iStock.com/joyt
下右：iStock.com/Melvin Mapa
下左：iStock.com/Simon Harry Collins
P.157 PIXTA

# ニッポンの大そうじ
# シンガポールからの改革提案

2024年5月30日　初版第1刷発行

著　藤沢秀一
発行者　古川 猛
発行所　東方通信社
発売　ティ・エー・シー企画
〒101-0054
東京都千代田区神田錦町1丁目14番4号
電話　03-3518-8844
FAX　03-3518-8842
www.tohopress.com
印刷・製本　シナノ印刷

Printed in Japan　ISBN978-4-924508-39-2